THE PSEUDO-OVIDIAN
DE VETULA

THE PSEUDO-OVIDIAN
DE VETULA

Text, Introduction, and Notes

by

DOROTHY M. ROBATHAN

AMSTERDAM
ADOLF M. HAKKERT — PUBLISHER
1968

Library of Congress Catalogue Card Number: 68-31748

Printed in the Netherlands

FOREWORD

It is more than twenty years since I began to work on the *De Vetula* with the encouragement of my teacher, the late B. L. Ullman. In 1957 I referred in print to my "forthcoming edition", with no premonition that so much time would elapse before it came forth! It is indeed coincidental that a work which was last published in 1662, should now be available in two modern editions. This book was in page-proof when Paul Klopsch's volume appeared. Since we have, to a certain extent, emphasized different aspects of the poem, I trust that our readers will find that the editions complement each other. My thanks are due for courtesies extended to me in the libraries where I have worked, and especially to the Institut de Recherche et d'Histoire des Textes in Paris for aid in obtaining microfilm. I wish to express my thanks also to Professor F. W. Lenz for the interest he has shown in my publication of the longest of the pseudo-Ovidian poems.

Dorothy M. Robathan
New York City, March 1968

TABLE OF CONTENTS

Introduction 1
Text 49
Notes 139
Bibliography 164
Indices 171

INTRODUCTION

The longest of the pseudo-Ovidian poems, the *De Vetula* or *De Mutatione Vitae,* was composed in France in the thirteenth century. Although the poem purports to have been written by Ovid during his exile at Tomi, its mediaeval origin is attested both by its language and its content[1]. While echoes of genuine Ovidian poetry occasionally occur, the setting of Books I and II reflect the mediaeval background of the author[2], as the philosophical and religious content of Book III recalls the scholastic controversies of the thirteenth century[3]. In spite of the discrepancy in dates, which would preclude the poet's conversion to Christianity, the *Vetula* was accepted as genuine by Roger Bacon (1214—ca.1291), who, in the *Opus Maius,* expresses satisfaction that the pagan Ovid had become a Christian. His quotations from the *Vetula* are the earliest that I have found in literary sources[4].

In the following century, however, a more astute critic realized that Ovidian authorship of this composition was an impossibility. Petrarch in his *Epistolae Seniles* makes the following comment, which anticipated the skepticism of some fifteenth-century scholars: Librum cuius nomen est De vetula dant Nasoni; mirum cui vel cur id in mentem venerit nisi hoc

1 Cf. F. W. Lenz, "Einführende Bemerkungen zu den mittelalterlichen Pseudo-Ovidiana", *Das Altertum* V. 3 (Berlin, 1959), 171-182; J. H. Mozley, "Le *De Vetula* poème pseudo-Ovidien", *Latomus* II (1938), 53-72; P. Lehmann, *Pseudo-Antike Literatur des Mittelalters, (*Leipzig, 1927), 13-15.

2 D. M. Robathan, "Living Conditions in the Thirteenth Century as Reflected in the Pseudo-Ovidian *De Vetula*", *Studies in Honor of Ullman* (St. Louis, 1960), 96-105.

3 *Vide infra* p. 5.

4 *Vet.* III. 538-539; 611-619. Roger Bacon, *Opus Maius* (ed. J. H. Bridges, Oxford, 1897), I. 263; 267. *De Viciis* (ed. R. Steele, Oxford, 1920), 10, 45, 51. *Vide infra* (pp. 13-14.). The fact that passages from the *De Vetula* occur in an edition of the *Speculum Historiale* of Vincent of Beauvais is not significant, since the edition in which they appear (Venice, 1494) is obviously interpolated (cf. B. L. Ullman, "A Project for a New Edition of Vincent of Beauvais", *Speculum* VIII [1933], 325). No quotations from the *Vetula* are found in the following editions of the *Historiale:* Strassburg 1437 (C 6246), Augsburg 1474 (C 6247), Douai 1624, nor in three fourteenth-century manuscripts that I have examined: BM Roy 13 D VIII, Vat. lat. 1962, Laur. Faes. 142.

fortasse lenocinio clari nominis obscuro fama operi quaeratur, et quod vulgo fit ut gallinis pavonum ova subiciunt[5].

In England at the same period a group of scholars found quotations from the *Vetula* pertinent to the subjects they were discussing. Richard Bury in his treatise *Philobiblon* (composed in 1344) quotes from Book I of this work which he ascribes to Ovid[6]. His contemporary, Robert Holkot, uses one of the same quotations in his commentary on *Sapientia Salomonis* and concludes another passage from the *Vetula* with the words *an sit liber Ovidii deus novit*[7]. Another friend of Bury, Thomas Bradwardine (1290-1349), in his celebrated *De Causa Dei,* amid a discussion of some astronomical problems, introduces an extended passage from the third book as well as one from Book I[8]. A fourth Englishman of the same period, Walter Burley (1257-1337), assigns the *Vetula* to Ovid in his *De Vita et Moribus Philosophorum,* but does not quote from the work[9].

On the other side of the Channel we find that Piero di Dante Alighieri in his commentary on his father's *Divina Commedia,* written about the middle of the fourteenth century, quotes twice from the *Vetula,* introducing the lines with the words "Ovidius de Vetula dicit" and 'Unde Ovidius ait"[10]. In France too reference to the *Vetula* occurs in the *Lamentations* of Matheolus composed between 1295-1301[11].

Not only in literary sources but in catalogues of mediaeval and Renaissance libraries mention of this pseudo-Ovidian work is found. The earliest such dated list in which it appears is that of the Sorbonne catalogue in 1338. The title also occurs in a list of books found in a manuscript which was in the library of Pierre Limoges, who died in 1306, leaving his library to the Sorbonne[12]. While there is no proof that this inventory describes

[5] *Rer. Sen.* II. 4.

[6] *Vet.* I. 714-719; 758-759, *Philobiblon* (ed. A. Altamura), p. 106.

[7] *Vet.* I. 714-719; 758-759; III. 773-777; 804-612 (810 *om.*). *Sapientia Salomonis,* Reutlingen, 1489 (H 8760; P 2716) Lectio LXI.

[8] *Vet.* I. 722-741; III. 611-644. *De Causa Dei* (ed. H. Savilius), pp. 73, 75, 332.

[9] H. Knust, ch. 113, pp. 354-356.

[10] *Vet.* I. 510; III 286. *Petri Allegherii super Dantis Ipsius Genitoris Comoediam Commentarium,* pp. 101, 174-175.

[11] Cf. "Lamentations de maistre Mahieu" (ed. A. G. Van Hamel), *Bib. l'École des Haute Études* 96 (1905), 149, 176.

[12] L. Delisle, *Cabinet des Manuscrits* III pp. 77, 81. *Ibid.* II pp. 168-169.

Pierre's own library, it dates from the thirteenth century and may be the earliest non-literary reference to the *Vetula.* The title also occurs in a list of books drawn up perhaps in 1359 and left tot the Certosa of San Lorenzo in Florence by Nicola Acciaioli[13]. In the papal library at Avignon too the work appears in the inventories of both 1369 and 1375[14].

Also in the fourteenth century a Frenchman named Jean Lefevre brought out a version of the *Vetula* in his own language, which is an adaptation rather than a translation, as was noted by its modern editor, H. Cocheris[15]. More important, however, than his editorial labors was M. Cocheris' discovery of a reference to the authorship of the *De Vetula* in a manuscript in the Mazarine Library in Paris.

Among the Renaissance scribes and commentators who felt no hesitancy in questioning Ovidian authorship, the statements usually took no more specific form than the assertion that the poem could not have been composed before the Christian era, or that it was the work of *aliquis frater*[16]. Only in one case is a particular individual named as the author of the poem. In an unpublished encyclopedic work, written in 1424, entitled *Vaticanus,* the Dutch humanist Arnold Gheyloven, listing the works of Ovid, includes the *De Vetula* and adds: quem librum scripsit magister Richardus de Furnivallis cancellarius Ambianensis et imposuit Ovidio[17]. As a result of Cocheris' discovery of this statement in 1867, the authorship of the *Vetula* has been assigned, at least provisionally, to Richard de Fournival.

[13] R. Sabbadini, "I libri del gran siniscalco Nicola Acciaioli", *Il Libro e la Stampa* I (1907), 38.

[14] F. Ehrle, *Historia Bibliothecae Romanorum Pontificum* I, pp. 379, 512.

[15] *La vieille ou les dernières amours d'Ovide* (ed. H. Cocheris).

[16] E. g. Milan, Ambros. G. 130 Inf. (on flyleaf): A scriptore igitur Christiano perfectum est ut patet pluribus et praesertim in III libro, licet Christum prophetice a Nasone praenarratum narret; Naples, Bib. Naz. IV. F 13 (f. 51): talia nec fecit nec vidit carmina Naso; Flor. Laur. 36. 2 (f. 255): insaniunt vero qui eum (Ovidium) dicunt scripsisse...de Vetula, nam ea oportuit fuisse infantis et ignorantissimi.

[17] The first part of this work is in the Bibliothèque Mazarine in Paris (ms. 1563); the second part is in the Bibliothèque Royale in Brussels (ms. 1169). Another copy of both parts was found by Paul Lehmann in Vienna (Bib. Nat. S. n. 12. 703, formerly 312-313). The attribution to Fournival is found in the Mazarine codex on f. 68; in the Vienna copy on f. 77 v.

In dealing with a pseudonymous work the question of authorship is always intriguing. Let us sketch a description of the unknown author of the *Vetula* as he reveals himself to us in his own composition. That he lived in the Middle Ages and not in the classical period is immediately clear from the many words in his vocabulary that are of mediaeval origin[18]. Among these specialized terms are several which occur in the description of mathematical games, such as the *pugna numerorum*[19]. Interest in mathematics was intense in the thirteenth century, especially among a group of scholars at the University of Paris[20]. Concern for mathematical studies is revealed also in the discussion of laws of chance as they affect gambling with dice[21]. In contrast to the author's disapproval of this form of recreation, is his enthusiasm for the game of chess, to which a long passage is devoted[22]. A unique feature of the *Vetula* version of the game is its attempt to link the explanation with details of the movements of the heavenly bodies. Further interest in astronomy and astrology is indicated in Book III, where the conjunctions of the planets and their effects upon human occurrences are discussed, especially with reference to the birth of Christ[23]. The importance of astronomy in the curriculum of the thirteenth century is well-known[24].

[18] Mozley, *op. cit.* (*vide* n. 1.) notes that among three hundred non-classical words in the *Vetula,* there are ninety which do not occur before the thirteenth century, and forty five which do not appear in glossaries of the Middle Ages.

[19] E. g. algebra, almucgrabula, rithmimachia (*Vet.* I. 836-840; III. 23-24).

[20] Cf. D. E. Smith. "The Place of Roger Bacon in the History of Mathematics", *Roger Bacon Essays* (ed. A. G. Little, Oxford: Clarendon Press, 1914), 153-183.

[21] *Vet.* I. 428-495. An analysis of this passage by A. M. Guerry, *Statistique Morale de l'Angleterre comparée avec la Statistique Morale de la France,* is introduced thus (p. xx): le premier ouvrage ou il ait été question du calcul des hazards et ou il s'en trouvé en même temps quelques applications, est un ancien poème latin fort bizarre et tres-peu connu...il a pour titre de Vetula.

[22] *Vet.* I. 600-658. For further discussion of this passage cf. Notes on the text.

[23] *Vet.* III. 463-654.

[24] Cf. A. C. Crombie, *Robert Grosseteste and the Origins of Experimental Science;* S. C. Easton, *Roger Bacon and his Search for a Universal Science;* L. Thorndike, *The Sphere of Sacrobosco and its Commentators* pp. 22-47; S. D. Wingate, *The Mediaeval Latin Versions of the Aristotelian Scientific Corpus;* C. H. Haskins, *Studies in Mediaeval Science* pp. 11-14; P. Duhem, *Le Système du Monde* III. 228-268.

Not only in the fields of mathematics, astronomy, and astrology, does our author reveal his affiliation with scholarship of the thirteenth century, but also his philosophical and religious views reflect the sentiments of the same period. From the traditional domination of Augustine and Plato in the twelfth century, there appeared the challenge of Aristotelean philosophy, as well as that of the Arabic scholar Avicenna, whose views the theologians tried to reconcile with Christian doctrine[25]. Theories of the relations of various parts of the universe, translated from the Greek and the Arabic, were discussed in the light of Christian dogma. Such problems as that of the omnipotence of God, the scientific conception of the cosmos, and the survival of the body after death, debated heatedly at the University of Paris in the thirteenth century, all find echoes in the third book of the *Vetula*[26].

Among the theories which were circulated at this time, the conception of the universe as macrocosm and man as microcosm is found in the *Vetula*[27]. Here we find introduced into the text a number of physiological terms more specific than are found in ancient sources[28]. Knowledge of a similar sort is also indicated in the author's description of physiological causes of sexual impotency, and in a passage where a curse is called down upon the old woman (vetula) after she had betrayed "Ovid" in agreeing to arrange an assignation for him with his inamorata[29].

Thus it seems clear that our anonymous poet lived in the thirteenth century, when interest in Ovid reached such a pitch that this period has been designated the *aetas Ovidiana*[30]. He probably studied at the University of Paris, where the recently-translated works of Aristotle stimulated discussions of their bearing upon theological and philosophical problems. No less provo-

[25] H. A. Wolfson, *Avicenna, Algazali and Averroes on Divine Attributes;* S. H. Thomson, *The Writings of Robert Grosseteste, Bishop of Lincoln;* R. de Vaux, *Notes et Textes sur l'Avicennisme latin aux confines des XII-XIII siècles.*

[26] For a résumé of these aspects of this period cf. G. Paré, "Scolastiques et littéraires au XIIIe siècle" in *Introduction to "Le Roman de la Rose" (Institut d'Etudes Médiévales d'Ottawa,* X, 1941), 1-21; H. O. Taylor, *The Mediaeval Mind,* ch. XXXVI.

[27] III. 227-277.

[28] E. g. epar, arteriae, pulmo, trachea, splen, epati.

[29] II. 13-20; 530-544.

[30] E. K. Rand, *Ovid and His Influence,* pp. 112-113; F. Munari, *Ovid im Mittelalter,* p. 5.

cative in the same circles was the astronomical and mathematical material which had recently become available through the translations from the Arabic of Avicenna and his Spanish commentator, Averroes. The controversies aroused by these new sources of information are reflected in the *Vetula.* Its author was also conversant with specialized medical and physiological terms in which he seems to have had a particular interest. Finally, there is no doubt that he was a sincere Christian, whose faith in Christ and in the Virgin is set forth in his concluding passage, beginning: O Virgo felix, O Virgo significata per stellas[31].

With these facts in mind let us turn back to a consideration of Arnold Gheylhoven's ascription of the authorship of the poem to Richard de Fournival. Of this French savant comparatively few facts are known. Son of a physician, who himself had studied medicine, he was Chancellor of the Cathedral of Notre Dame in Amiens in 1246, where he died not later than 1260. As the author of a number of metrical works, as well as some prose compositions, and perhaps of a romance that exists under his name, Richard de Fournival is well known to students of mediaeval literature[32]. To another group of mediaevalists, his name suggests the authorship of a treatise called the *Biblionomia.* Unique of its kind, this work is a bibliographical canon, indicating the titles which would be found in a well-stocked library of the thirteenth century[33]. Scholars are not agreed as to whether the contents ever formed part of a particular collection, but that some of the manuscripts actually existed as Fournival described them, has been proved from details which correspond with codices now extant. It is known that Fournival's own library passed to Gerard d'Abbeville, who left it to the Sorbonne. In the Bibliothèque Nationale in Paris there have been identified about half of the one hundred and sixty-two works described in the *Biblionomia*[34].

[31] III. 773-812.

[32] Cf. *Li bestiaires d'amours di maistre Richard de Fournival,* ed. C. Segre, p. xxix; A. Birkenmajer, "Pierre de Limoges, Commentateur de Richard de Fournival", *Isis* (1949), 18-31; W. McLeod, "The *Consaus d'Amours* of Richard de Fournival", *Stud. in Philology* XXXII (1935), 1-21. A. Långfors, "Le Bestiaire d'Amour en Vers par Richard de Fournival", *Mém. de la Société néophilolog. de Helsingfors* VII (1924) 219-307; P. Zarifopol, *Kritischer Text der Lieder Richards de Fournival;* T. Link, "Der Roman d'Abladane", *Zeitsch. für romanische Philologie* XVII (1893), 215-232.

[33] Published by Delisle (*vide* n. 12), 518-535.

[34] B. L. Ullman, *Studies in the Italian Renaissance,* pp. 45-47.

Significant for the question of Fournival's authorship of the *Vetula* is the fact that the *Biblionomia* contains a large number of manuscripts of an astronomical, mathematical, and medical nature. Aside from the fact that Fournival's nationality and the period of his scholarly activity agree with those postulated by us for our hypothetical author, there may also be significance in the fact that one of Fournival's metrical compositions, *Consaus d'Amours,* shows obvious Ovidian influence[35]. In view of these facts, together with Fournival's interest in the Church, it is not surprising that Cocheris' discovery was hailed as a solution to the problem of authorship and that Richard de Fournival has been accepted as the author of the *Vetula* by some mediaevalists.

Are there, on the other hand, any facts that make this attribution seem doubtful? We may note in this connection that among the works of Ovid listed in the *Biblionomia,* the *De Vetula* is missing, although a number of spurious Ovidian poems are included. If this work were composed by Fournival in his youth, as has been surmised[36], it would antedate the bibliographical treatise, and we should expect the compiler of the *Biblionomia* to give some publicity to Ovidian authorship, which the *Vetula* itself seeks to promote. Furthermore, although we have observed that Fournival's interests correspond to a remarkable degree to those of the hypothetical author whom we have described, is it not likely that there were other scholars in the thirteenth century who had identical intellectual enthusiasms? So far as Ovid is concerned, his poetry dominated the literary scene, even as had that of Virgil a century earlier. The interest in Aristotle, Avicenna, and in treatises on mathematics, astronomy, and chess were not peculiar to the author of the *Biblionomia*[37]. While raising this question, however, we must admit that in many respects Fournival seems a likely candidate for the distinction of having written this pseudo-Ovidian poem.

A distinguished Italian scholar has recently rejected the theory of Fournival's authorship on other grounds[38]. In the prose introduction to the

35 Cf. McLeod (vide n. 32).

36 Lehman (*vide* n. 1), 14.

37 That Fournival was not unique in combining medical training with literary interests is clear from A. Birkenmajer's "Le rôle joué par les médicins et les naturalistes dans la réception d'Aristote au XIIe et XIIIe siècles", *La Pologne au VI Congrès internationale des Sciences historiques,* Warsaw, 1930.

38 A. Monteverdi, "Aneddoti per la storia della fortuna di Ovidio nel medio evo", *Atti del Convegno Internazionale Ovidiano* II. 191.

Vetula, as well as in the metrical preface, reference is made to *Vatachio principe sacri palatii Bizantei.* Lehmann years ago suggested the identification of this ruler with the Greek John III Vatatzes, who, however, held sway in Nicaea, and not in Constantinople[39]. Monteverdi now makes the point that since Constantinople did not come into the power of the Greeks until 1261, and since the date of Fournival's death is established as 1260, he could not have composed this preface. Monteverdi concludes: per riuscir nell'intento l'autore di una contraffazione deve porre la più attenta cura a tener celato il suo nome; e così fece l'autore della *Vetula,* onde il suo intento ebbe effetto. E par vana fatica cercar ora chi fosse. If we agree that Fournival would have had to be clairvoyant to have foreseen that Constantinople would fall to the Greeks, then he is automatically excluded from consideration as author of the *Vetula.* Since, however, Dukas Vatatzes had made an attempt to capture Constantinople in 1236, and had almost succeeded, and since his other conquests had regained considerable territory for the Greeks[40], it must have appeared to his contemporaries that it was only a matter of time before Constantinople too came back under Greek rule. Our French author of the *Vetula,* whether he wrote in 1250 or after 1261, deviated from fact in assigning Vatatzes's rule to Byzantium, instead of to Nicaea. It seems more reasonable to suppose that this preface was written before rather than after Vatatzes's death in 1254, and that the poet was using his imagination in describing the circumstances attendant upon the finding of the *Vetula,* just as he did in the text, when he projected Ovid into the Christian era. Since the death of Vatatzes "after an eventful reign of thirty-two years left Nicaea in flourishing condition, lacking only the city of Constantinople itself to complete the capture of almost the entire Latin Empire"[41], a feat reserved for his immediate successors, the assertion that he was ruling in Byzantium seems to reinforce the arguments for the traditional date of 1250 for the composition of our poem[42].

[39] Lehman, *op. cit.* (*vide* n. 1) 13.

[40] D. J. Geanakoplos, *Emperor Michael Palaeologus and the West 1258-1282,* p. 15.

[41] *Ibid.* 26.

[42] Another possibility that suggests itself is that the Introitus and Praefatio were written later than the poem itself. It is true that in some manuscripts they are omitted or placed at the end of poem. They are found, however, in their normal position in the best manuscripts, including the only one that we have from the thirteen century.

Before leaving this question of Fournival's authorship, we should perhaps approach the problem from another point of view, and look into the credibility of the encyclopedist who is responsible for turning our attention to Fournival. Arnold Gheyloven, who was one of the leading humanists of the fifteenth century in the Netherlands, was a protegèe of Cardinal Francesco Zabarella[43]. While studying in Padua, Gheyloven lived in Zabarella's home and through him became acquainted with the French savant, Pierre d'Ailly (1350-1420), who was a Cardinal of the Church, a Chancellor of the University of Paris, and the author of one hundred and seventy-four works[44]. In two of his treatises, *Tractatus contra Astronomos* and *De Falsis Prophetis,* d'Ailly discusses some of the astronomical material of the *Vetula,* which he describes as *liber qui false imponitur Ovidio*[45]. Nowhere, however, does he mention Fournival nor anyone else as the true author of the work.

In the introduction to the *Vaticanus,* which Arnold composed *in silva Zonie prope Bruxellam,* the author tells us that he has compiled his material: ex diversis libris et ex diversis historiographis quos vidi et audivi in Italia tam Bononie quam Padue dum eram ibidem studens. We know that there was a *Vetula* in the fourteenth century in the library of San Domenico in Bologna[46], and other manuscripts of the work exist in Italian libraries today. None has come to light, however, which gives any clue to Arnold's source for his attribution to Fournival.

There is one other point which should be mentioned in this connection. There exists in the University Library in Amsterdam another composition of Arnold's which is also an autograph[47]. Internal evidence makes it clear that the *Somnium Doctrinale* was composed after the *Vaticanus*[48]. In the

[43] P. Lehmann, "Die Schriftstellerkatalog des Arnold Gheylhoven von Rotterdam", *Historisches Jahrbuch* LVIII (1938), 34-54; M. Dykmans, "Les premiers rapports de Pètrarque avec les Pays-Bas", *Bulletin de l'Istitut historique Belge de Rome* XX (1939), 109-122; M. Dykmans, *Obituaire du Monastère de Groendael dans le forêt de Soignes,* p. 238.

[44] L. Salembier, *Le Cardinal Pierre d'Ailly.*

[45] Published in J. Gerson, *Opera Amnia,* I. Appendix, 530, 778, 784, 789.

[46] M. H. Laurent, "Fabio Vigili et les Bibliothèques de Bologne", *Studi e Testi* (1943), 56.

[47] Ms. 472 (s. XV), entitled *Speculum Doctrinale* (*Tit.* f. 1) or *Sompnium Doctrinale:* Hoc opusculum quod sompnium doctrinale appello (f. 1).

[48] E. g. Vide latius in Vaticano in prima parte c. xxviii (f. 32 v); de istis et aliis quam plurimis posui in Vaticano in prima parte (f. 60).

Prologue to Part II of the later work, where there is a discussion as to whether one should study for the purpose of making money, we find the following statement: Et contra tales scribit Ovidius de Vetula, followed by the lines quoted by Bury and Holkot[49]. Careful study of the *Somnium,* and examination of pertinent topics in the lengthly *Vaticanus,* have led me to believe that Arnold did not use the *Vetula* in either work, although there are a number of places where quotations would have been apposite[50]. It seems likely that at the time he wrote these words in the *Somnium* he was using as a source one of the fourteenth-century English writers where the same quotation occurs and that he did not recall his earlier ascription of the *Vetula* to Fournival. That Gheyloven used Walter Burley's *De Vita et Moribus Philosophorum,* which was a popular source book for fifteenth-century encyclopedists, is attested by the fact that he includes in the introduction to Part I of the Vaticanus, a paragraph which was taken word for word from Burley's introduction[51]. Another link with this author may be significant. In Arnold's list of works of Ovidian authorship, along with the mention of the *Vetula* and its unique ascription to Fournival, occurs a title *De Fortuna.* This unknown work is also attributed to Ovid in some editions of the *De Vita et Moribus Philosophorum*[52]. If Gheyloven was merely copying Burley as a source for his material on writers of the Augustan Age, the responsibility for the ascription of the *Vetula* to Fournival may have to be shifted to Burley.

[49] Amsterdam ms. f. 26 v. The same verses are referred to above in Notes 6 and 7 (*Vet.* I. 714-719).

[50] E. g. in *Vaticanus* under such topics as alea, avaritia, castitas, fortuna etc. Citations occur from all of Ovid's genuine works, and from the pseudonymous *De Medicamine Faciei* and *De Philomela.* In the *Somnium* there is discussion of paupertas, luxuria, castitas, etc. Many mediaeval writers are cited in both works.

[51] Mazarine ms. f. 2 v; Vienna ms. f. 2 v; De moribus et vita philosophorum veterum tractaturus multa quae ab antiquis auctoribus in diversis libris de ipsorum gestis sparsim scripta rescripta reperi in unum colligere laboravi. Plurima quoque responsa notabilia et dicta elegantia huic libro inserui, quae ad legentium consolationem et morum informationem inferre valebunt. Knust, *op. cit.* (vide n. 9), 2.

[52] Knust, *op. cit.,* 365; Cologne 1470 (H 4142), Cologne 1480 (HC 4121), Louvain 1479/80 (HC 4120), Hagenau (H. Grau) 1510. In some early editions, as well as in the fourteenth-century manuscripts which I have examined, this title is lacking. It is a satisfaction to learn that a new edition of Burley's work is in prospect (Cf. J. O. Stigall, "The Manuscript Tradition of the *De Vita et Moribus Philosophorum*", *Medievalia et Humanistica* XI [1957], 44-57).

SOURCES

An intensive study of the sources used by the author of the *De Vetula* has not been included in this edition. A certain amount of information on this subject has, however, come to light in connection with work on the explanatory notes upon the text. Some of this material has been taken directly from the scholiasts, whose citations are often informative concerning likely sources for specific statements. Because these commentators wrote shortly after the *Vetula* was composed, they had more precise knowledge than we can sometimes have, of the sources used in this composition. Ancient sources I have referred to in the Notes, when I have happened to identify them, especially when they involve the genuine works of Ovid. Let me merely summarize some of the facts which this preliminary consideration of sources has brought forth.

Of ancient poets it is not surprising to find that Ovidian tags appear with the greatest frequency. This is especially true in Book II where the erotic material is based to some extent upon the Ovidian love poems. In one instance (II. 582), pseudo-Ovid refers to a specific verse in a composition of his own (*Ars Amatoria* II. 665). Among later poets Maximianus offers some striking parallels. Of prose writers, Cicero, Macrobius, Isidore, and Boethius, appear to have been most useful for the poet's purpose. In Book III, where philosophical and astronomical material prevails, our author shows acquaintance with some of the most eminent scholars of the thirteenth century. Although Robert Grosseteste was an Englishman, whose scholarly activity was centered in Oxford and Lincoln, both he and his countryman, Roger Bacon, had been exposed to the controversial problems heatedly debated by savants at the University of Paris. The French author of the *Vetula* shows an affiliation with some of the same currents of scholarship. The quotations which I have cited from Grosseteste's works show that the poet sometimes adapted the words of the Bishop of Lincoln to his own metrical composition (e.g. *Vet.* III. 132-159). And in at least one case (III. 728) he uses the same phraseology as does Albertus Magnus. The excerpts from Roger Bacon's writings, which I have referred to in the Notes as apposite, also show similarities in phraseology to the *Vetula*. Bacon, however, knew the *Vetula* and quoted directly from it. (*Vide* Introduction Note 4). It seems likely, however, that except where Bacon gives the poetical version and identifies it as "Ovidian", his material concerning the conjunction of the planets and the birth of Christ was taken from prose writings, rather than from a metrical source. If Bacon really believed the *Vetula* to be Ovidian, it was the prophecy of Christianity in the mouth of pagan poet that particularly interested him. (Bacon's references tot the *Vetula* are appended to this section). But for serious discussion of scientific and philosophical problems, certainly a scholar of Bacon's intellectual caliber would have used contemporary materials, such as recent translations from Aristotle and the Arabs. Thus it seems more realistic to assume that where Bacon's phraseology reflects that of the *Vetula* (e.g. III. 556-558), both writers used a common source.

Of the Arabic scholars whose works were being circulated in Latin translations at this time, Avicenna (Ibn Sina) was perhaps the most influential. His *Liber Canonis de Medicina,* based partly upon the writings of Galen, partly upon those of Arabic physicians, did much to stimulate an interest in medicine in the late twelfth and thirteenth centuries. Similarity in diction between the *Vetula* and the Latin text of Avicenna's medical works has been pointed out in the Notes on II. 443 and 537. In the field of metaphysics too there are echoes of this Arabic scholar, especially in the passage dealing with the unity of God (III. 99-116), and in discussion of the relation of the body to the soul after death (III. 378-391). Further study would undoubtedly reveal other parallel passages.

From this very superficial treatment of the sources, we can see that our author not only drew upon the classical works which were popular in his day, but that he made use of material in other fields of intellectual study which proved exciting to the scholars of the thirteenth century. These tantalizing glimpses of the titles in his bookshelves indicate that a further study of the sources of the *Vetula* could prove stimulating and rewarding.

ROGER BACON'S REFERENCES TO THE *VETULA*

Opus Maius Part IV (ed. Bridges, I. p. 256): Unde in libro qui ascribitur Ovidio de vitae suae mutatione cum loqueretur de secta venerea, quam hominibus sui temporis legem dixit esse, dicit in metro suo: (*Vet.* III. 538-539). Quam postea per sexcentos annos et amplius scripsit Mahometus in libro qui dicitur Alcoran, Ovidius enim ante Christum et de temporibus Christi fuit et secta Mahometi incepit per sex centos annos et amplius post incarnationem Christi.

Ibid. p. 263: Et in libro qui dicitur de mutatione vitae Ovidii, qui inscribitur de vetula, propter quam fuerat facta, refertur Ovidius Naso locutus fuisse ex hac coniunctione, et ex eius dispositione prorupuisse in admirationem sectae Mercurialis producendae in mundum per prophetam nasciturum de vergine absque maris commixtione, quam futuram esse praedixit post illam coniunctionem per annos sex, ita quod secundum ipsum nasceretur XXX anno Octaviani Augusti...Loquens igitur Ovidius de coniunctione maiore et fere maxima dicit: (*Vet.* III. 611-619).

Ibid. p. 267: Et cum posuerunt Dominum Jesum Christum esse Deum et hominem, ut Ethicus astronomus manifeste dicit in Cosmographia et Alchinus similiter et in illo libro qui inscribitur Ovidius de Vetula deum incarnari in Christo colligitur.

De Viciis Contractis in Studio Theologiae (ed. Steele pp. 9-10): Et si avertamus "Nasonis discrecionem" sic enim loquitur de eo Boecius (*De Disc. Schol.* ch. 4), causa invitat ad eius libros considerandos; mirabilius omnibus loqutus est in libro *de Mutacione Vite Sue,* qui alio nomine titulatur *Liber de Vetula,* propter quam mutacio facta dicitur, in quo a vanitate ad veritatem, inde a mundi istius contemptu ad consideracionem alterius seculi auctor se convertit, inquirens trinitatem et incarnacionem ad resurrectionem et multa preclara fidei nostra secreta. Quoniam 24 anno Octaviani Augusti, considerans rerum cursum, dixit "Quod in anno post deberet nasci propheta de virgine" (paraphrase of *Vet.* III. 615), quod comprehendit ut in illo libro scribitur per virtutem astronomie, sicut postea magis explanabitur. Stricte enim sumendo imperium Augusti, Dominus fuit natus 30° eius anno. Quod tamen a pluribus dicitur natus fuisse 42°, hoc est ampliando annos imperii per illos 12, qui fluxerunt a morte Julii Cesaris usque ad Actium bellum, que 72 anni, secundum multos, non ascribuntur imperio, quia in illis non tenuit regnum in pace, sed contendebat pro eo et magis bello acquisivit quam possedit. Ideoque solvitur contraietas, et manifestum est hoc ex hystoriis certis.

Ibid. p. 45 same quotation as in *Opus Maius* p. 256
Ibid. p. 51 same quotation as in *Opus Maius* p. 263
Ibid. p. 52 same quotation as in *Opus Maius* p. 267

RHETORICAL FIGURES

A conspicuous lack of subtlety in the use of figures of speech is one of the characteristics of this pseudo-Ovidian poem. We get the impression that the poet is trying to include as many examples of assonance, alliteration, and anaphora as can possibly be crammed into a single verse. The effectiveness of such figures, when employed in moderation, is completely lost by the exaggerated usage that marks the versification of all three books. Anaphora often involves two verses, which are not always successive, e.g. I. 414 and 418, II. 475 and 478, III. 670 and 680. Most often the words repeated occur in the first or last foot of the verse, thus producing the effect of a refrain: I. 108, II. 58-60, III. 104-105. There are also cases where a phrase at the end of one line occurs in the first foot of the next: III. 185-186. An exaggerated case of anaphora is to be found in II. 390-392 where the word *do* appears ten times! In II. 220-221 the lines are identical except for the last two words.

Alliteration frequently includes two sets of words in the same verse, e.g. I. 182, II. 38, III. 630, and, where a single letter is involved, it is likely to occur in more than two words of the line: I. 349 m m m m; II. 328 p p p p; III. 267 c c c c. Sometimes the whole verse is composed of words beginning with the same two or three letters: I. 349 M m m g q m q; II. 214 Q m a m a m; III. 147 P n a p p n a p.

Assonance, when used either alone or in combination with these other figures of speech, is most often achieved by a repetition of a syllable ending in *m* or *s:* I. 40 em am am em am; II. 325 es es es is; III. 116 us us us. Combination of both these sounds occur in such a verse as III. 251 um um os us. Overuse of assonance and anaphora may be noted in I. 39-42, where verse 40 has this pattern of endings: em am am em am; vs. 42 has am am am; 39 and 40 both end *magis unam;* 41 ends *una* and 42 ends *milibus unam.* Of course, there are many cases where the desired effect is produced by other sounds than combinations of *m* and *s* alone: I. 299 avidis avibus pavidas illas; II. 62 species speciosa genusve...generosum; II. 499 vetulam mutata puella. Repetition of sibilants is used to reenforce the meaning of the text in II. 537 and also in II. 541.

Next in order of frequency to these rhetorical devices, is the use of asyndeton, which is often employed with groups of three words of various parts of speech: I. 227 potuit, scivit, voluit; II. 319 parvula, dura, recurva; III. 255-256 has six pairs of verb and subject with no connective. Another extreme example of this usage may be noted in II. 677-678 where there are seven pairs of nouns and adjectives. These groups sometimes consist of ablative absolutes, of which the poet is inordinately fond: e.g. I. 82, 287, and II. 318, where the whole verses consist of two such constructions. Another figure which occurs with some frequency is chiasmus: I. 245, II. 423, III. 336. A striking example of chiastic order is found in III. 258-261, which involve six pairs of subjects and verbs.

As might be expected, in view of the characteristics just discussed, a tendency to paranomasia also affects the poet. Examples are found in I. 510, II. 37, 458-459. In this connection it is rather surprising to find that Ovidian paradox is seldom used. One instance is found in I. 160. A few cases of similes and metaphors may be noted: I. 292-293, II. 504-505, III. 755-756. Examples of anastrophe are occasionally found: II. 701, III. 441, 463. An expression of hyperbole is so labelled by the poet himself in II. 308 candidior nive.

It will be clear from this résumé that the unknown author of the *Vetula* achieves his effects chiefly by indiscriminate repetition of sounds, rather than by skillful use of less obvious devices. The versification of all three books leaves one with the impression of a tour de force, rather than of inspired poetry.

VOCABULARY

It is to be assumed that an intelligent imitator of a classical poet would steep himself in the poetry of the period in which his opus was supposedly written. Since the vocabulary of the *Vetula* is, for the most part, that of the Augustan Age, the mediaeval words stand out all the more conspicuously. Technical terms such as algebra, almucgrabula, rithmimachia, and the vocabulary of chess[1] are no more startling than words borrowed from the Christians theologians (II. 150 holocaustum III. 97 deitas) or from mediaeval philosophers and scientists (III. 140 manifestatrix III. 293 epiciclum III. 372 endelichia). Characteristic also of mediaeval diction is the use of compound words:[2] I. 116 diversicoloribus I. 274 Fructiferis et odoriferis II. 59 mirivocum II. 359 Linguipotens, and, the best-known of all of these, I. 759 philopecunia, which occurs in a passage that was frequently quoted by later scholars[3].

[1] Cf. Notes on I. 605-649.

[2] Cf. K. Strecker, *Introduction à l'Etude du Latin mediaeval*, p. 31.

[3] *Vide supra* p. 2.

PROSODY

As might be expected in a work that purports to have been written by a classical poet, the normal rules for composing dactyllic hexameter have, in general, been followed. Some examples of poetic license, which characterize mediaeval prosody, may, however, be pointed out. One of these deviations from the classical norm, which was common in the Middle Ages, was the frequent shortening of final *o*.[1] Examples of such usage in the gerundive are found, for example, in I. 251 circumvolvendo II. 434 Sustendando III. 662 vigilando; in adverbs in I. 663 vero (but at II. 563 verō), II. 44 Ergo III. 212 idcirco; in the nominative of third declension nouns e.g. I. 66 generatio II. 53 oratio III. 451 opinio 704 homo; in the first person singular of verbs: I. 39 scio II. 365 subiungo III. 430 dilexero (but in III. 429 servierŏ). Less frequently final *a* is abbreviated, e.g. I. 6 postea II. 174 nuda manu. Sometimes the final syllable of the third person singular of verbs is lengthened, but only when it occurs in the arsis: I. 814 amet et II. 303 tollit ad III. 244 manet et. *Tamen* occasionally has the second syllable lengthened: I. 621 tamen et II. 260 tamen ubi III. 279 tamen est. *Hoc* and *quod* in the nominative and accusative are often long: I. 460 Hoc ideo II. 377 quod evadam III. 671 quod ex. Some Greek words retain the quantity of the original vowel:[2] III. 15 philosophia III. 372 endelechia.

Forms in which the long and short quantities are regarded as interchangeable are: mihi tibi sibi; *h* is more often vocalic in affecting the quantity of the preceding syllable: I. 34, 60 II. 117, 395 III. 46, 264, but at times, it has the value of a consonant: I. 154 II. 138 III. 704.

Contrary to practice in some other pseudo-Ovidiana, elision occurs rather frequently[3]. Although in many verses spondees predominate, a spondaic fifth foot occurs rarely. Many verses have spondees in the two opening feet, and often that rhythm continues until the fifth foot is reached: II. 449,

[1] Cf. Strecker, *op. cit.* 43.

[2] *Ibid.* 33.

[3] Lenz, *op. cit.* 176 (*vide* Introd. Note 1).

463, 505 III. 16, 358, 715. Perhaps the most striking deviation from Ovidian usage is the large proportion of verses which end with a monosyllable[4]. On the whole, however, the poet avoids exceptions to the rules as used by the classical poets, whose work he was imitating. In very few cases a form of poetic license not included in the categories which I have just mentioned is required *metri gratia:* I. 160 vōverit...vŏvit I. 176 indempnīs iniuria I. 694 trīgōnīs hi...tetragōnī̆s illique III. 273 maiorīs est mundi III. 480 Frigidus et siccūs est III. 541 rĕlĭquīaš etiam.

[4] Cf. F. Peeters, "Temps fort et accent de prose au 5e et 6e pieds de l'hexametre dactilique dans les *Fastes* d'Ovide", (p. 86) where an analysis of 2486 hexameter shows none that ends in a monosyllable. In *Vetula* Book III, 72 out of 812 verses end in a monosyllabic word.

NON-CLASSICAL CONSTRUCTIONS

As in his reliance upon classical usage in vocabulary and metrics, the poet, for the most part, follows grammatical constructions as he found them in the poets of the Augustan Age. Along with some kinds of poetic license occasionally used by Virgil, Ovid, and Horace, the author of the *Vetula* introduces some post-classical syntax which was characteristic of the writing of the period. A sampling of these deviations from the classical norm is as follows:

Quod clauses in *oratio obliqua* are commonly used (I. 39-40, II. 110, 329, III. 594, 716), although sometimes the infinitive construction does appear (III. 443). The indicative is found in indirect questions (I. 583, II. 681), and in some cases the subjunctive is incorrectly introduced by *si* in such clauses (III. 686, 703). Clauses of characteristic are found with the infinitive (II. 658). A frequent usage in mediaeval literature is *facio* with the infinitive to express accomplishment (I. 49, 75, 409, II. 223). Other verbal non-classical constructions are *posse* with the future active infinitive (III. 775) and *dignus* followed by the infinitive (II. 516). Irregularities in introductory particles occur, where *ne* introduces a result clause (II. 19), and *quo* is used in a purpose clause, where no comparative is involved (I. 159, II. 698-699).

Mediaeval practice with regard to other parts of speech may be noted: *absque* for *sine* (I. 593, II. 55, III. 547); adverbs used as nouns (Ad instar I. 619, III. 231; Quodam mane II. 580 Ex tunc II. 655). *Iubeo* is followed by the dative (II 370), and *fovet* by the accusative (III. 308). *Dixit* and *inquit* are used interchangeably (II. 597, 636); reflexive pronouns are very often used incorrectly (I. 207, II. 610, III. 693).

SUMMARY

It is obvious from the preceding discussion that the *Vetula* is not a great poem in the Ovidian tradition. The versification is pedestrian; the mode of expression uninspired. Whatever value the composition may have, derives from its content, which would be no less interesting had the author chosen to present it in prose form. Estimates of the worth of the *Vetula* by later scholars have varied from expressions of contempt[1] to words of regret that its unusual mediaeval material has not been made available in the form of a critical edition[2]. To some readers the first book seems the most interesting because of the picture it gives of various activities which engaged the attention of the thirteenth-century gentleman. Others find the content of Book III more absorbing, especially for the opportunity it offers to compare and contrast its tenets with serious contemporary treatment of philosophical, theological, and scientific questions. Classicists, who are interested in genuine Ovidian poetry, will recognize the source of much of the erotic material in Book II. Because this pseudo-Ovidian poem, with its interwoven strands of classical and mediaeval subject matter, reflects the varied interests of thirteenth-century scholarship, it is hoped that both classicists and mediaevalists of the twentieth century may derive some pleasure and profit from this edition.

[1] For Goldast's view, *vide infra* p. 37.

[2] Lehman, *op. cit.* (vide Note 1) 14. Eine bunte Bilderreihe mit ausserordentlich interessantem kultur-historischen Detail entrollt sich vor uns, so dass schon der Beigaben und des Hintergrundes wegen die Dichtung eine kritische Ausgabe verdient. Cf. also Guerry, *supra* p. 4 note 2.

ORTHOGRAPHY

In the interests of consistency, it has seemed inadvisable to follow the spelling of any one manuscript. Mediaeval scribes were uncertain as to the proper use of *h,* whether initially or after *t;* of the correct procedure with regard to *i* and *v; c* and *t*: *f* and *ph* etc. Study of such spellings in the five principal manuscripts brings out such variations as the following on the part of the individual scribes:

S I. 271 phaleris I 492 blasfemia
S I. 698 pyramidalibus 701 piramidem
M I. 623 alfinus 633 alphinus
M III. 441 Gethas Getarum

The rule that I have followed, in general, with regard to spelling, is to avoid mediaeval forms which would confuse the modern reader. Insofar as the conventional spelling is used in any of the basic codices, I have felt justified in adopting it in the interests of clarity. I have rejected such forms as *iusticia, tociens, locaces,* even though they were employed with frequency in the thirteenth and fourteenth centuries. I have no doubt that the charge of inconsistency will also be levelled at the editor, in what will sometimes appear as an arbitrary choice of form. Variant spellings have not, in general, been included in the apparatus.

THE MANUSCRIPTS

* *A* Angers — Bib. Mun. 541 (olim 506) s. XIV. Parchment. Probably from the Benedictine Monastery of St. Aubin (Lemarchand, *Cat. des mss. de la Bib. d'Angers,* 1863). No other contents. Accessus and scholia. ff. 1-43v.

* Auxerre — Bib. Mun. 243 (olim 206). Dated 1358 (f. 44). Parchment. From the Abbey of Pontigny (f. 137). Chiefly mediaeval material. Accessus follows text of *Vetula.* ff. 210-224v.

* Berlin — Oeff. Wissen. Bib. Lat. 210 (olim Phillipps 1796; Meerman 663). s. XV. Parchment. Ex Bibliotheca Samuelis Petit (f. 71). Contains some of Ovid's genuine poems (ff. 1-115). Used by Lenz for *Ibis* (1937); Munari for *Amores* (1951); La Penna for the *Ibis* (1957). ff. 115-144.

* Berlin — Oeff. Wissen. Bib. Diez B. Sant. 4 (olim codex Crevennae). Dated 1443/1444. Paper. Contains other Ovidian works, genuine and suppositious (ff. 1-152). Used by Owen for *Tristia* (1889); Lenz for *Rem. Am., Med. Fac.* (1965) ff. 153-160.

Cambridge — Jesus College Q. G. 22 s. XV. Parchment. Probably from Durham Cathedral Library (James, *Cat. of Mss. in Jesus Coll.,* 1895). Scribe Robert Emylton. Miscellany of classical and mediaeval authors. Scholia. Book III only. ff. 111v-122.

Cambridge — Sidney Sussex College Δ 3. 11. s. XV Parchment. Once owned by Sydney Aukland, Prior of Durham (James, *Cat. of Mss. in Sydney Sussex Coll.,* 1895). Scribe William Seton. Chiefly mediaeval material. Scholia. Book III only. pp. 149-170.

Cambridge — Trinity Coll. 0. 8. 24 s. XV/XVI. Paper. Previously in the Gale Collection (James, *Cat. of Western Mss. in the Lib. of Trin. Coll.,* 1902). Scribe Egidius de Vadis, who also transcribed Lactantius *De Fenice* (ff. 4-16) and Aristotle *De Pomo* (ff. 16v-24). A note dated 1539 may be by this hand. Many astronomical tables and symbols. Scholia differ from the conventional corpus. Book III only. ff. 25-43v.

Cambridge (Mass.) — Harv. Univ. Houghton Lib. Ms. Lat. 214. Dated 1418. Paper except for three parchment folios. Described in Sales Catalogue of E. P. Goldschmidt no. 44. Scribe Albert Elsendorffer of Purgstall, Austria. Scholia. ff. 1-51v.

* Copenhagen — Bib. Reg. Thott 400 s. XV. Paper. Of German provenience; perhaps from Cistertian Monastery of Iselstein. Cf. Jørgensen, *Cat. Cod. Lat. Med. Aevi Bib. Reg Hafneniensis* (1926) Contains some of Ovid's genuine works (ff. 2-14). Scholia. ff. 15-43.

* Erfurt — Stadtbib. Amplon. Q. 1. s. XIV exeunte. Paper. Described in W. Schum, *Verzeichniss der Amplonischen Handschriften Sammlung* (1887). Contains the *Pamphilus* as well as some of Ovid's genuine poems. ff. 115-159.

* Erfurt — Stadtbib. Amplon. Q. 2. Dated 1393. Paper. Listed in 1412 catalogue of Amplonius (Manitius, *Handschriften antiker Autoren in Mittelalterlichen Bibliothekskatalog* (1935), 65. Scribe Iohannis Wyssen de Bercka, a nephew of Amplonius (Schum, *op. cit.*, 1880. p. xi). Mediaeval works, including the *Rithmimachia* (ff. 38-63). Accessus follows the text of the *Vetula* (ff. 1-37).

Florence — Bib. Laur. 89. 35.35 Dated 1473. Paper. Title of *Vetula* appears nowhere in the codex. f. 92 Incipit testamentum Ovidii Nasonis. Some charred edges; some missing folios, others misplaced. Described by Sedlmayer, *Wiener Studien* VI (1884), 145. Chiefly Renaissance material. Book III only. ff. 92-106.

Florence — Bib. Laur. Conv. Sopp. 186 (olim Badia 2623). s. XV. Paper. North European hand. Lacks title and author. Ovid's *Met.* ff. 1-171. Book III only. ff. 172-186.

* Göttingen — Bib. Univ. Phil. 130 Dated 1336. North European hand. Miscellaneous poetry. Scholia interpersed among sections of text, as well as in morgins. ff. 5-47v.

* Krakow — Bib. Jagiellon. 5230. Dated 1447. North European hand. Cf. Birkenmajer "Bib. Ryszarda de Fournival" *Polska Akad. Umiejetnosci, Wydz. Filolog.* LX (1922), 3-4. Miscellany. Lacks Accessus and scholia. ff. 166v-198 (199).

L London — Brit. Mus. Add. 22014. s. XIV Parchment. French provenience. Described in Payne and Foss Catalogue, May 1, 1857. Hermanni Clerici *Libellus de sanctorum passionibus* (ff. 18-155v). Praefatio of *Vetula* follows text. ff. 1-17.

London — Brit. Mus. Arundel 384. s. XIV/XV. Parchment. French provenience. Ex dono Henrici Howard Norfolciensis (f. 1).

Religious and philosophical material. Cf. F. Wright, *Early Mysteries and other Latin Poems* (1893), 109-119. Book III only. ff. 223-232v.

London — Brit. Mus. Harl. 2745 s. XV. Parchment. Contains *Flores* of Ovid and other poets, and some shorter pseudo-Ovidiana (ff. 34-152v). *Cat. of Harl. Mss. in Brit. Mus.* II (1808), wrongly described it as having only *Flores* of the *Vetula.* Complete text, but bound in wrong order: ff. 153-160v; 1-31. f 153 Incipit liber Ovidii de Vetula. f. 31 Explicit liber Ovidii de Vetula. Same hand throughout. Lacks Accessus and scholia.

London — Brit. Mus. Harl. 5263. Circa 1400. Parchment. Palladius *de Agricultura* (ff. 50-99) in later hand. f. 1 Illuminated O enclosing head of a man with a conspicuous *nasus.* Accessus between Praefatio (I. 1-14) and beginning of Book I. Scholia. ff. 1-48.

London — Brit. Mus. Cott. Vesp. B. 23 s. XIV exeunte. Parchment. Probably owned by Henry Ferrers circa 1600 (J. Planta, *Cat. of Mss. in the Cottonian Lib.,* 1802). Miscellaneous mediaeval material. Described by H. L. D. Ward, *Cat. of Romances* I (1883) 33; II. (1893) 347-351. Two hands alternate in the *Vetula* ff. 53-77v.

Milan — Bib. Ambros. G. 130 Inf. XIV/XV. Parchment. On flyleaf: codex antiquis characteris ab haeredibus Francisci Cicerei emptus. Contains Persius, Terence (1-80). Praefatio and Accessus follow Book III of *Vetula* text. Scholia through Book I. ff. 81-109v.

Milan — Bib. Ambros. Q. 59. Sup. s. XV. Parchment. Italian script and decorative details. Contains only *Vetula,* which lacks title and Incipit. Hand changes at f. 10. Scholia. ff. 1-45v.

* M Montpellier — Bib. École Méd. 366 s. XIV (wrongly ascribed to s. XII in *Cat. gen. des Mss. des Bib. Publ. des Departments* I (1849) ser. IV. Parchment. French provenience. f. 1 Codex ms. Bib. Buherianae E 50 MDCCXXI. *De Rithmimachia* (ff. 43v-52v). ff. 53-59 belonged to another codex, the first folio of which contains the last lines of *Vet.* III (811-812) with Explicit, followed by Accessus (ff. 53-57v). Conventional scholia on ff. 57v-59. Scholia also accompanying text of the poem. ff. 1-41.

Munich — Bayer. Staatsbib. 21076 s. XV exeunte. Paper. From Monastery in Thierhaupten (Halm-Laubmann *Cat. cod. lat. Bib. Reg. Monaciensis* Vol. I, 1868). Composite manuscript containing religious tracts. North European hand. Book III only. ff. 106-110v.

Paris — Bib. Nat. 3245 s. XIV/XV. Parchment. French hand. Composite manuscript of mediaeval works. Each paragraph in *Vetula* text preceded by rubric, giving content. This device is also is found in the Wolfenbüttel edition. ff. 46-63.

Paris — Bib. Nat. 5055. s. XV/XVI. Paper. f. 1 Colb. 787. Reg. 3730. Miscellany, of which folios containing *Vetula* originally belonged to another manuscript. It was undoubtedly a complete text of the poem, but now ends at II. 604. Marginal tables illustrating games of chance (I. 469-487). Prefatio omitted. Scholia. ff. 140-151v.

Paris — Bib. Nat. 8256 (ff. 52-59v) + 14805 (ff. 99-132). s. XIV. Parchment. ff. 52-59v, previously numbered 91-98v, became detached from 14805, and after having the margins trimmed, were bound with 8256, which contains Ovid's *De Ponto* (olim Colbertinus 3586). Montfaucon *(Bib. Bib. Mss. Nova,* Paris, 1739, II. 982A) lists the Colbertinus as having only the *De Ponto.* Delisle (*Cat. St. Victor Mss.,* Paris, 1869) indicates that 14805 has the *Vetula* beginning on f. 99 as at present. Scholia.

S Paris — Bib. Nat. 16252 (olim Sorbonne 282), s. XIII. Parchment. Described by Delisle, *Inventaire des Mss. de la Sorbonne (Grand Format),* 1873, p. 50. Gatherings of eight folios in the *Vetula;* twelve in the fourteenth-century texts that precede it. Lower margins trimmed somewhat; gilt edges on outer ones. A cursive hand (fifteenth-century owner?) put in marginal references on ff. 118v and 125, illustrated by drawings of a man, the first with a flowing beard, the second, winking an eye. The same hand occurs in the marginalia of the *Clericalis Disciplina* of Petrus Aphonsus (ff. 1-15). The folios containing the *Vetula* were previously numbered 1-45 in a modern hand. There are few abbreviations, and erasures have been carefully made. The usual Accessus precedes the text, and the conventional scholia appear in the margin. The manuscript was used by A. Hilka and W. Söderhjelm for an edition of the *Clericalis Disciplina* (Helsingfors, 1911). ff. 109-136.

* Prague — Univ. Bib. Knihovna XXIII g. 54 (olim Lobkowitz 534B). s. XIV. Parchment. Cf. P. Lehmann, "Handschriften aus Kloster

Weissenau in Prag und Berlin", *Erforschungen des Mittelalters* IV (1961), p. 80. ff. 1-30v.

R Vatican City — Vat. Reg. lat. 1559. Dated 1389-1407. Parchment. Library number of Paul Petau on f. 2. Formerly codex 1700 in library of Queen Christina (Montfaucon, *Bib. Bib. Mss. Nova* I, 1739). Scribe and ŏwner Richard de Basochis. Cf. J. Bigami-Odier et A. Vernet "Les livres de Richard de Bazoques", *Bib. École des Chartes* CX (1952), 124-126. Scholia. ff. 2-53.

Vatican City — Vat. lat. 4362. s. XIV. Parchment. Italian hand. Contains *Sententiae* of a religious nature. Praefatio of *Vetula* follows the text. No indication that it has Book III only: Incipit Ovidius de Vetula (f. 43). Scholia by a later hand. ff. 43-56v.

Vatican City — Vat. Barb. lat. 26. s. XV. Parchment. Hic codex fuit olim Octaviani Ubaldinis et deinde Antonii Montis Ferestrani filii Federici Urbini ducis (f. 172 v). Miscellany, including the folios containing the *Vetula* belonged to another codex. Selections from Ovid's genuine and shorter suppostitious works in a thirteenth-century hand. Cf. Nogara in *Miscellanea Ceriani* (Milan, 1910), 417. Book III only. Praefatio follows text. ff. 157-172.

V Venice — Bib. Naz. Marc. XII. 57 (4120) s. XIV. Parchment. (olim no. 680 in Convent of Saints John and Paul in Venice). Note on flyleaf indicates that the codex was in the hands of George Delphyn, Archbischop of Corfu in Nov. 22, 1413. French scribe. Contains also proverbs and astronomical calculations. For the Accessus cf. F. Ghisalberti in *Memorie Istituto Lombardo* XXIV (1932) 180-182. Scholia. ff. 1-34.

Vercelli — Bib. Sem. Archiv. (unnumbered). s. XIV Parchment. Formerly in one of the suppressed convents (oral communication of archivista). Some edges charred; many displacements in text appear to be intentional. *E.g.* material at end of Book I is put with similar subject matter in Book III. Other omissions seem to have been made for the purpose of shortening the narrative. Lacks Praefatio, Accessus, and Scholia. ff. 1-39 (unnmbered).

Vienna — Bib. Nat. 3219 (olim 380). s. XV. Paper. Hand changes at f. 105. A third hand (f. 118): Ego Iohēs Hasenbeyn reperi in tractatu de legibus et sectis contra supersticiosos astronomos a dñ̄o petro ep̄o cameracen. et cardinali compilato quod liber de vetula quod Ovidio attribuitur non sit ab Ovidio compositus.

Followed by quotations from Pierre d'Ailly (*vide supra* p. 9). Book III only. ff. 112-118.

* Wolfenbüttel — Stadtbib. 2830 (olim Aug. 82. 7) s. XV. Parchment Described by F. A. Ebert, *Bib. Guelf. cod. Graec. et Lat. class.* (1827) no. 460. Accessus followed by Praefatio, after which occur verses transcribed *supra* p. 133, note 6. No scholia or notes of any kind. ff. 1-14.

* Wolfenbüttel — Stadtbib. 333 (olim Helm. 299. 2). s. XV. Paper. Described by O von Heinemann, *Die Handschr. der Herz. Bib. zu Wolfenbüttel* IV (1900). North European hand. f. 1 Orate pro Gherwino de Hamelen datore. Contains theological tracts. Scholia. ff. 48-81v.

* Zürich — Zentralbib. 362 (Car. XI. 93) s. XV. Paper. Scribe P. Nümagen. Spaces left for illustrative tables in Book I. No scholia or notes of any kind. ff. 1-31.

* Zürich — Zentralbib. C 103 (269). s. XV. Paper. f. 1 Iste liber pertinet doctori Casper Wyrtt. Provenience St. Gall. Miscellany of ancient and mediaeval poetry. ff. 1-37.

* Indicates that collations were made from photostats or microfilm.

Excerpts and Fragments

Florence — Bib. Laur. Ashb. 273 (15). s. XV. Miscellany. *Vetula* II. 390-396 (f. 28).

F London — Brit. Mus. Roy 7 F VII. s. XIII. Composite manuscript containing texts of an astronomical and theological nature. *Vetula* III. 1-183. Written in good thirteenth-century minuscule with three columns to a folio. Traces of the two following folios may be seen near the binding. f. 83v.

London — Brit. Mus. Cott. Jul. F. 7 s. XV. Miscellany, containing excerpts from Ovid's genuine and suppostitious poems. *Vetula* I. 1-2; III. 752-755, 806, 811-812. f. 23v.

London — Brit. Mus. Harl. 3353 s. XIV. French provenience. Miscellany, containing the *Rithmimachia* (ff. 148-160). *Vetula* I. 650-720. (f. 147) Versus Ovi' de vetula li° p° in fine (not li° 4, as stated in printed *Cat. of Harl. Mss.*, 1810).

Oxford — Bib. Bodl. Bodley 612. s. XVI. Paper. Parchment flyleaves of s. XIV, containing *Vetula* I. 1-166, trimmed to fit later format. Ink badly peeled.

Paris — Bib. Nat. 7368. s. XIV. Composite manuscript of mathematical material. ff. 65-68 were part of a gathering of 16 folios, inserted into a codex with a gathering of 12. f. 67v Explicit ludus rithmimachie, sequitur versus Ovidii libro primo de vetula. *Vetula* I. 672-712; 834-841. ff. 67-68v.

Vatican City — Reg. lat. 314. s. XIV. Of Italian origin (Cf. Wilmart, *Cat. Cod. Reg. Lat.* I. p. 187). Text in two columns. Incipit liber Ovidii de coniunctione pl'arum (= planetarum). *Vetula* III. 521-806, 809-811 ff. 104-105.

Vatican City — Reg· lat. 2120. s. XIV. French provenience. It was once part of Paris Bib. Nat. Lat. 15055 (Cf. D. M. Robathan, "The Missing Folios of Paris Florilegium 15055", *Class. Philol.* XXXIII [1938], 188-197). Contains *flores* from all three books of the *Vetula.* ff. 24-24v.

Vatican City — Vat. Pal. lat. 924. s. XV. Paper. Composite manuscript of miscellaneous material. Prose outline of *Vetula* III 538-643 (f. 54).

N.B. Oxford — Bodl. Canon. Misc. 308. f. 183, described in the printed catalogue of this collection, as *Ovidii de Vetula epigrammata* occurs in a collection of epigrams ascribed to Porcellius (f. 176) and is not an excerpt from the pseudo-Ovidian de *Vetula.*

THE MANUSCRIPTS

Of the thirty-nine manuscripts listed above, only one can be assigned to the thirteenth century. Of the others, slightly more that half were written in the fifteenth century, and, of these, eight contain Book III alone. Of only two of the earlier codices is this fact true. It is significant that the most dependable texts are of French origin; obviously the poem was first circulated in its native land. Interest in the work soon spread to Italy and England, while at the beginning of the fifteenth century the German library at Erfurt possessed a copy. By the middle of the fifteenth century other North European countries are represented in our list and by this time, the third book frequently appeared alone. A clue to the reason for the popularity of Book III is found in a note in substantially the same form in the manuscripts from the two Cambridge University libraries of Sidney Sussex and Jesus College[1]. It reads: De Vetula liber tercius explicit; duobus primis omissis propter multa quae intersunt scurrilia. That the interest in this spurious Ovidian poem for many people lay less in the erotic material than in the philosophical, religious, and scientific content is indicated by the kind of works which are often included in the manuscripts of the *De Vetula*[2]. It is true that the poem sometimes is found with some of Ovid's genuine poetry, but in many cases it occurs in manuscripts where the emphasis is of a more serious didactic nature.

A conspicuous feature of some of the best manuscripts is a well-developed body of scholia. These comments consist of a common core that is found in a number of codices[3] to which occasional notes have been added by individual scholiasts. This common nucleus ranges from simple definitions or synonyms of unusual words to apposite quotations from

[1] Jesus Coll. f. 119v; Sydney Sussex p. 165.

[2] Along with treatises of an astronomical and arithmetical nature (see description of M, for example) are found works by Alain de Lille, Bernard Silvester, Walter de Lille (Paris B. N. 3245), Robert Holkot (B. M. Arundel 384), Alexander Nekham (B. M. Cott. Vesp. B. 23), Johannes de Cessolis (Sydney Sussex), St. Ambrose, Hugo of St. Victor (Jesus Coll.), Peter of Blois (Paris 16252), Prudentius (Erfurt Q. 2), Jean de Hautville (Auxerre), Lactantius, Aristotle (Cambridge, Trin. Coll.).

[3] See descriptions of manuscripts as listed above.

classical authors, and identification of sources (often mediaeval) for the statements, particularly in the realm of medicine, astronomy, and philosophy[4]. A study of these scholia, which has not been included in this edition, might well prove of value in helping to assess the knowledge of science and medicine among scholiasts of the fourteenth century.

With regard to relations of the manuscripts, is is not possible to make a neat stemma. Because it is the only complete manuscript which antedates the fourteenth century, and since it is of French origin as well, S must be considered the most important single manuscript for the establishment of the text. Although on the whole, it gives evidence of having been carefully written, it contains some obvious errors, as well as some omissions that do not occur in any of the other codices: III. 186-200; 785-805. In cases where the reading of S are questionable, the testimony of four fourteenth-century manuscripts, also of French origin, is most valuable. Among them, A and R show the closest affiliation, although it will be clear from the apparatus that there are divergencies between them. Because these five codices represent different branches of the family tree, their unanimity in cases where there is diversity of reading among the other manuscripts is of special significance.

Of these five codices upon which the text of this edition is based, M is the least reliable; it sometimes agrees in error with later manuscripts which have obviously suffered interpolation. A striking example of this process is found at III. 409, where two versions have been incorporated into the text from the scholia. Derived from the same parent as M are the fourteenth-century Prague manuscript and the fifteenth-century Zürich (Car. XI. 93). All three agree alone in error in I. 29 odore) honore I. 556 ut) in III. 343 liquet) licet. Important differences, however, occur as follows: M and P alone have I. 741 Queque) Quodque I. 770 constet) custet and, more significantly, they are the only manuscripts to have *strophio* for the incorrect *trophio* at II. 325. P unlike M and Z does not show conflation at I. 539-540; III. 578-579, nor does it omit III. 807-809· Interesting is the fact that the Prague manuscript preserves the correct reading *morosas* at I. 263, which is found only in A in the second hand. It also has an affiliation with S, as shown in the erroneous Horam optimam) Tempus

[4] *E. g.* I. 295 iectigatio-morbus est motus involuntarii ex resolutione nervorum; II. 118 in fine libri Tusculanorum in quo vero probat Tullius quod ubi deficit una virtus deficiunt omnes; III. 262 vocat princeps Avicenna secundos humores non superfluos et interdum humorosos humores.

opportunum at II. 401, found only in these two codices, and in III. 354, where P and S have an incorrect arrangement of the whole verse. Where M and Z agree in the following errors, P has the correct reading: I. 444 istos sit) mortem fit II. 544 corize) corive M^1 III. 191 primum) motum III. 784 sumpta) sponte. We may note that I. 695, which is omitted in M and Z, is added *i. m.* M^2 and that II. 358 paupercula) pauperrima has the correct reading in the second hand in the margin of M. Also of interest is the fact that at II. 195, where M has the word *vetula* as a gloss on *Maria,* Z has incorporated the word into the text. The illustrative tables which appear in rather elaborate form in M (ff. 8v, 9, 13, 13v) have been omitted in P, and in Z space has been left for them.

Among other fourteenth-century codices, Berlin Lat. 210 and Paris 8256 + 14508 were unmistakably derived from the same source. Agreements include omissions (one of more than fifty verses): I. 391-447; II. 675; III. 197, 269-270. A few of the many agreements in error include: II. 39 Econtra) Hoc ad idem 565 Et sua) Turpis III. 162 propiori) primorum. That neither manuscript was copied from the other is clear from a study of individual differences: *Par.* several times conflates verses both of which are found in *Ber:* I. 205-206; II. 27-28, 172-173, and omits verses which occur in the other manuscript: II. 392, 715; III. 44-45, 83, 588. On the other hand, *Ber.* has an extra verse (originally a scholium) between verses III. 185-186, and has omitted two verses which are found in *Par.:* III. 337-338. An indication of the source of some of the differences may be seen from the following examples: II. 424 notanda) sequenda *Par.* notanda vel sequenda *Ber.* II. 546 vesica vel) vesica sua *Par.* vesica sua vel *Ber.* II. 646 exactio) coactio *Par.* excoactio *Ber.*

Affiliated with these two codices are two others, which also antedate the fifteenth century, Vercelli and Göttingen. Agreements in error among all four are comparatively few but striking: II. 310 gracilis) facilis II. 319 conicio) consurgunt II. 675 *vs. om.* III. 102 omnipotentes) omnipotens est III. 448 sperare) cognosci. More conspicuous, however, are agreements in error between either *Ver. or Gött.* and both *Par.* and *Ber.* For example, *Gött.* agrees with them in substituting for I. 199 Quin irata michi dando sit prona veneno) mihi sibi prona datura venenum; for II. 170 Imbenedicibilem lex innuit illa) Imbenedicilem reddit lex illa; for III. 513 Sicque Iovi cessit vite) Sicque Iovi vite dabitur (debetur *Gött).* Other agreements in error are: II. 40 caret) non est II. 434 quidem) pedem II. 495 modico) subito. Cases in which the Vercelli manuscript shares the wrong reading with *Par.* and *Ber.* alone are: I. 776 sua cura) fit cara II. 252 plananda) palpanda II. 459 furenti) futuri III. 422 virga) vita III. 590 qui secte causas) qui posset secte. Other instances where *Gött.* alone agrees with a wrong reading in only one of the other codices are: II. 700 fletu) luctu *Gött. Par.* III. 85 dicitur) noscitur *Gött. Ber.*

Although some sort of connection is indicated between *Gött.* and *Ver.*, there are striking differences between them. In spite of numerous apparently intentional omissions and rearrangements of verses, *Ver.* has certain lines that are omitted in *Gött.:* I. 442 II. 218, 233. Thus we may conclude that while these two manuscripts share a common ancestor with *Par.* and *Ber.*, the tradition is more accurately represented by the two latter versions. Of the former pair, *Gött.* is the more reliable transmitter of the text[5].

Another group of codices which gives evidence of a common origin consists of Add. 22014, Harl. 5263, Ambros. G. 130, and Paris B. N. 5505. Such individual errors as the following are shared by all four: I. 186 auras) aulam II 288 retortas) retorquens II. 370 Te iussisse) Precepisse II 470 *ord. verb. inv.* Although Ambros. Q 59 shows none of these errors, it does agree with this group in omitting I. 441-449 (as does the *editio princeps*). The two British Museum manuscripts and Ambros. G. 130 show further agreement in including with the *Accessus* a metrical discussion of Ovidian authorship[6]. Par may well have had these verses at the end, as do *Add.* and *Ambros.*, whereas in *Harl.* they are found after the Praefatio

[6] The following verses occur also in Vat. lat. 4362. They are found, moreover, between vss. I. 14-15 of the text in Wolf. 2830, as in Harl. 5263.

Singula dum contemplor in hoc descripta libello
Illum vix possum credere, Naso, tuum.
Concordaret in hoc, ni fallor quilibet a quo
Et tua lecta forent, et foret istud opus.
Sed tamen inspiciens quod nemo pectoris alti
Rem falso vellet intitulare suam,
Praesertim si pulcra foret, sicut liber iste,
Dignus laudari plenius ore meo,
Corrigo verba mea, sicut argumenta Leonis,
Historieque rata iam mihi digna fide,
Nempe placet mihi non modicum quod Naso propheta
Sic placuerit Christi lector et inde satis.

[5] Apparently belonging to the same family was a text of which only two pages now survive in Vat. Reg. lat. 314.

at I. 14. Included in the apparatus as a representative of this group are readings from Add. 22014 (L). In its relations with the five principal codices, this one agrees most often with individual errors in S, next often with R and V and never with A or M.

Of the fifteenth-century complete manuscripts, the closest relationship is found between Wolfenbüttel 333 and Copenhagen. Omissions in common occur at I. 123, 410, 515; irregular word order in identical form is found at I. 164, 311, 395, 583 II. 83 III. 36, 119. Agreement in erroneous readings (and conflation in verses I. 687-688) include: I. 455 duplicaveris) multiplicaveris II. 18 computresceret) cecidisset II. 268 seriatim) sociatim II. 308 tantam) verbis II. 328 cupitam) pudicam II. 708 irretinabiliter) irrevocabiliter. Differences in phrasing, however, occur at I. 574 Rixant inter se *Cop.* Inter se rixant *Wolf.* II. 512 spes omnibus eius *Cop.* spes illius omnis *Wolf.* The sources of some differences are obvious from the following: II. 413 necesse tamen credo) nocere credo *sscpt.* puto *Cop.* necesse puto credo *Wolf.* III. 650 glorificandus) glorificandus *sscpt.* clari *Cop.* clarificandus *Wolf.* We may also note that in addition to the illustrative tables found in *Wolf.* (*vide* p. 36), *Cop.* also has a diagram illustrating the position of the planets at III. 464 (f. 36v).

Of the manuscripts that contain only Book III, one pair is conspicuous for agreements in error. Vat. lat. 4362 and Laur. Conv. Sopp. 186 have many indications of a common ancestry: III. 35 querere) noscere* 53 sursum) cursum 250 habet) capit 276 specialius) specialiter 349 causatur) causetur* 354 Statim ergo) Sed regna* 440 quale) tale 498 prenarrata) propter narrata 589 commoda) gaudia* 644 pateret) patebit.*

In addition to these evidences of relationship, an indication of common descent is found in an alternative passage of seven verses which occur in a discussion of the theory of motion (III. 340-346). The following manuscripts substitute this version for the normal one: B. M. Add. 22014, Ambros. G 130 Inf., Q. 59 Sup., Vat. lat. 4362, Vat. Barb 26, Laur. Conv. Sopp. 186, Vienna 3219. This alternative form also appears in the *editio princeps,* offering one more bit of evidence for its relationship to Vat. lat. 4362 and Conv. Sopp. 186 (*vide infra* p. 35), with which it agrees in the erroneous readings marked above with an asterisk. Wolfenbüttel alone of the manuscripts includes both versions.

Aside from S the only evidence from the thirteenth century in our roster of codices is found in one folio in B. M. Roy 7 F VII. I have included readings from this fragment in the apparatus for Book III. 1-183 (F).

PRINTED EDITIONS

The earliest printed edition of the *De Vetula* bears no date nor place of printing. Although Brunet conjectured that it had been issued at Cologne in 1470, it is now assigned by bibliographers to Perugia from the printing press of P. Petri and Jo. Nicolai and is dated circa 1475[1]. This edition lacks pagination, and space has been left for some of the initials to mark new sections in the text. A conspicuous feature of this printing is the error Nasionis in the title, although the cognomen is correctly spelled in the Explicit. Tables have been omitted in the discussion of mathematical games in Book I. Also the metrical Argumentum and Praefatio, which usually precede the text are wanting (Book I. 1-23).

The text itself has many incorrect readings, some of which are obviously inaccurate expansions of abbreviations in the manuscripts. In the first three hundred lines alone some of the more glaring mistakes are as follows: I. 48 modulis) medullis 63 Per quam) Pena 93 tractumque *vel* tactumque) tardumque 138 sociabus) foliabus 175 rivali) mali 188 furiis) furens 195 experiatur) expiratur 222 pater) preter 247 dempsa) depressa 257 velut) valde 267 aliquando) aliunde. Although no manuscript has come to light which contains these errors, agreement in some others between this edition and two related codices containing only Book III has been pointed out (*vide* p. 34).

The second and only other incunabulum known to bibliographers issued from the press of J. Koelhoff at Cologne in 1479[2]. Unlike its predecessor, it contains both Prefatio sive Argumenta (*sic*) and the Prefatio ipsius autoris, preceding Book I. Following the subscription[3] occurs an Epistola

[1] Brunet IV 281; H 12253; BMC VI 877. The British Museum copy is numbered among the incunabula 1. A. 32708 and bears a note that it was bought from Libri in 1848. See also E. P. Goldschmidt, *Mediaeval Texts and Their Appearance in Print* (Supplement to Bibliographical Society's Transactions n. 16), London, 1943, p. 65.

[2] H 12254; Goldschmidt, *loc. cit.* A copy of this rare edition is in the Bibliothèque Nationale in Paris and bears the signature Res. g. Yc. 100.

[3] p. 76: Ovidii Nasonis Pelignensis de Vetula liber tercius explicit. Impressus et correctus summa cum diligentia per me Johannem Koelhoff de Lübeck Coloniae civem anno nativitatis domini millesimo quadringensimo septuagensimo nono.

Glosatoris (*sic*), in which the writer gives his reasons for becoming interested in the *Vetula.* In the first place, he had been urged to bring aid to an acquaintance whose religious faith had been shattered *a quodam pseudo-philosopho;* later a series of calamities to the Church had renewed his interest in this work. This letter is followed by the Introitus and five pages of Accessus, which occur in many manuscripts, usually preceding the text of the poem[4]. The text of this edition is much more accurate than that of the *editio princeps.* It also contains the mathematical tables at I. 447, 464, 483, 710, as well as a set of pyramids following the last of these tables. These are labelled consecutively Tabellae I-V. A *tabula affectuum* also occurs at II. 686.

From the sixteenth century comes one printed edition, brought out in 1534, without indication of place or printer[5]. Although it contains the standard Argumentum and Prefatio, it lacks the Accessus, found at the end of the 1479 Cologne edition. Some incorrect readings which are peculiar to the 1534 printed text and are not found in any of the manuscript which I have studied are the following: I. 1 peligni) pelignensis 3 utcumque *vel* utrimque) quecumque 14 autemptim) attente II. 424 faciam) faciem 682 fluitans) fluctans III. 257 generat post quos *vel* quas) generat iisdem quoque 503 Venerique minorem) Veneri minoremque 623 Typus habetur) Habetur typus 639 prope) proprie.

A study of other errors which are found in one or more of the manuscripts as well as in this edition, indicates a closer relationship to Erfurt Q. 1 and to Wolfenbüttel 333 than to the other codices. In three cases Erfurt alone has the erroneous reading found in this text: I. 59 debitus) deditus III. 62 Qui quecumque) Hi quicumque 223 quorum sunt oppositi sibi motus) quorum sibi motus oppositi sunt.

The earlier of two editions dating from the seventeenth century is that of Melchior Goldast, which appeared in a composite volume, entitled *Ovidii Nasonis Pelignensis Erotica et Amatoria Opuscula,* issuing from the press of Wolffgang Richter at Frankfort in 1610[6]. In his Epistola Dedicatoria (p. 27), the editor expresses his opinion of the pseudo-Ovidian

[4] Vide pp. 42-47.

[5] The only copy of this edition that I have found is in the Harvard University Houghton Library and has the name of Stephanus Baluzius on the flyleaf, with notes presumably in his hand.

work in these terms: Nihil vidi libellis istis de Vetula ineptius, nihil absurdius, nihil (ut uno absolvam verbo) stolidius. His interest in publishing these *opuscula* lay not in their merit, but: ut speculum proponeremus miserrimae simul ac turpissimae superiorum temporum disciplinae ac institutionis scholasticae[7]. Perhaps the low value that Goldast assigned to these works is reflected in the inaccuracy of his version of the *De Vetula.* As a later editor remarked[8], there are a number of lacunae and omissions in the Frankfurt edition. At the very beginning of Book I nine lines are printed with only the first and last words of each, separated by a series of dots[9]. This odd-looking arrangement suggests that the editor had depended upon only one manuscript in which it was impossible to read the intermediate words in these verses. The editor himself calls our attention to the fact that some of the illustrative tables of Book I have been omitted[10]. The words *Caetera desunt* at the end of the text also make it obvious that the last seven verses of text are lacking (III. 806-812).

The latest of the printed editions was brought out by S. Closius in Wolfenbüttel in 1662, along with the *Brunellus Vigelli* (commonly known as Nigellus), both of which works were found in a manuscript *ex Illustri quadam Saxoniae Inferioris Bibliotheca*[11]. In his Introduction, Closius refers to Koelhoff's Cologne edition and to the 1610 Frankfurt edition, which

[6] Other works contained in this volume are: Epigrammata Scholastica de XII Libris Aeneidos; Epistola nomine Penelope ad Ulyssem... Grece redita; Cornelii Maximiani Galli Etrusci Elegiae; Julii Spirati Philomela; Pamphili Mauriliani Pamphilus; Benigni Floriacensis Monachi Excidium Trojiae; Baptistae Mantuani Carmeliae Elegiae; Bernardini Cillaenii Veronensis Elegiae; Antonii Codri Urcei Bononiensis Rithmus Martialis.

[7] p. 6.

[8] See my discussion of the 1662 edition of Closius, *infra.*

[9] *E. g.* Versibus.........nec duplicarim (I. 16).

[10] After vss. I. 447 and I. 710 are the words *Deest figura.*

[11] The *Speculum Stultorum* was written by "Nigellus Wireker" at the end of the twelfth century; its principal character is an ass named Brunellus. The titlepage of the 1662 edition has: Opuscula duo...nunc vero denuo ex Illustri quadam Saxoniae Inferioris Bibliotheca Deprompta atque e Vetusto Exemplari in hanc minusculam compagem bona fide conformata. Recently edited by by J. H. Mozley and R. R. Raymo (and assigned to Nigel de Longchamps), Univ. of Calif. Press, 1960 (*Studies in English,* 18).

he describes as having been published *ab anonymo* and as being *non sine aliquot lacunis*[12]. Closius has not only filled in these gaps, but has added a table (in the text at II. 686), which he claims to have found in none of the manuscripts he has consulted, except in that *vetusto codice* referred to above[13]. At the end of Book III appears the Epistola Glossatoris (pp. 84-85) as found in the 1479 Cologne edition. This is followed by the conventional Accessus, which is omitted in Goldast's volume.

Since there are today two complete manuscripts of the *Vetula* in the Stadtbibliothek in Wolfenbüttel, it was natural to suppose that one of them might be the codex that Closius found in the seventeenth century. The Helmstedter manuscript bears the name of Ghervin von Hameln, whose collection was left to the Rat of Braunschweig in 1495. This codex may at once be ruled out as an important source for the Closius text. Its numerous inaccuracies[14] are never reproduced in the 1662 edition, and there are no distinctive similarities between them. Much more reliable as a transmitter of the text is the Augustinian codex, and there is some rather conclusive evidence that Closius found this manuscript useful for his purpose. Peculiar to the 1662 edition among those which have appeared in print is the inclusion of both forms of the passage in III. 340-346[15]. Only the Augustinian Wolfenbüttel manuscript, among those which have come to light, has this feature. Significant too is the fact that Closius incorporates into his text, along with some less striking errors found in Wolfenbüttel 2830, at III. 130 etiam) relegans, an inexplicable reading found in no other codex. Baffling, however, is the editor's statement that he found in the *vetusto codice* the *tabula affectuum* (at II. 686), for this table is missing in both Wolfenbüttel manuscripts, although it is found in all of our basic manuscripts, as well as in a number of inferior ones[16]. Closius also states

12 Ad lectorem, p. 1.

13 Titlepage, preceding the *De Vetula:* Accessit et affectuum tabula quam neque in membranis aliunde nobis allatis neque in Editione Francofurtana...sed in vetusto codice dumtaxat...bibliothecae illustri Guelphicae proprio offendimus.

14 See my discussion of agreements between this codex and Copenhagen Thott 400 p. 34.

15 *Ibid.*

16 Lacking in L, it occurs in Copenhagen, Harl. 5236, Ambros. Q. 59, as well as in the 1479 Cologne edition.

that the *Brunellus* and the *Vetula* were found in the same codex[17]. There is no indication that either of the manuscripts now in the Wolfenbüttel library ever contained the *Brunellus*[18]. We can only conclude that the *vetus codex* which was in the library of a private collector in 1662 was neither of the two manuscripts now in the Wolfenbüttel library, but that the Augustinian codex, at least, was available to Closius at that time. A careful check of key passages in Closius with the readings of all our manuscripts shows that the editor did not rely heavily upon any one of them[19], and that he was probably not exaggerating when he said: diversorum exemplarium vetustorum et recentium collatione revisi (Praefatio p. 1).

[17] *Vide supra* Note 11.

[18] Nor does the "Wireker" *opus* appear in any of the other *Vetula* manuscripts I have studied or seen listed in library catalogues.

[19] The 1662 edition agrees in individual errors with the following: I. 207 sibi) tibi V II. 235 quem) guoniam Harv. III. 44 Neu) Ne *L* 274-275 *ord. inv.* Berlin Diez (also Cologne 1479 and 1534 edd.).

THE APPARATUS CRITICUS

In assigning corrections to various hands, I have used the superscript numeral 1 (S^1) to indicate a correction made by the original scribe. For corrections that were obviously made at once, I have used the superscript abbreviation for *statim* (S^{1st}). In case of erasure or uncertainty on my part as to which scribe made the correction, I have added an interrogation point ($S^{1?}$). In manuscripts for which I have depended upon microfilm or photostats (see list of codices), some of the doubtful attributions could perhaps be cleared up by examination of the manuscript itself. Erasures are shown by oblique lines, the number indicating the number of letters probably omitted (rog//et). Except where there is doubt as to which word(s) in the text are involved, it has not seemed necessary to use the lemmata.

ACCESSUS

Introitus in librum Ovidii Nasonis de Vetula[1].

In librorum initiis septem solent inquiri que ad causas quattuor reducuntur. Causarum intrinsece sunt materialis et formalis; extrinsice efficiens et finalis. In intentione finalis prior est, efficiens in comparatione (operatione) precedit. Septem autem inquiri solita sunt hoc modo: que materia, que intentio, que utilitas, quis modus agendi, quis auctor, quis titulus, cui ex philosophie partibus supponat. Sed quoniam auctoris vita precognita, multa circa materiam, intentionem, et utilitatem patebunt, ab ipsius vita incipiamus auctoris[2].

Capta Troia, sicut tradunt historie, cum Enea venit de Phrygia quidam Solemius, qui Sulmonem regionem a suo nomine appellavit, de cuius regionis oppido Peligno natus fuit Ovidius Naso, cognomine a magnitudine nasi dictus. Fuit autem ex patre Pilio, fratrem habens Lucilium uno anno maiorem, adeo quod in eius nataliciis, videlicet anniversario nativitatis eius die, natus fuerat Ovidius. Hos dispariter natos pater eorum ad litteras pariter aptavit. Cum in minoribus ad plenum eruditi fuissent, dedit eis pater magistrum in arte rethorica, de qua Ovidius tantam palmam adeptus est, quod facundia et virtute sua meruit fieri tribunus militum. Tribunatu vero deposito, et mortuo fratre suo, rogatu Maximiani principis et aliorum nobilium Romanorum, et ut famam suam maximam faceret in scribendo, animum suum applicavit ad tractanda iuvenilia. Et primo fecit librum Heroidum, scilicet de epistolis imitatus Hesiodum Ascreum, qui oblivioni datas fabulas et epistolas ad memoriam revocabat. Secundo fecit librum Amorum qui dicitur sine titulo, post quem libellos suos confecisse conicitur, qui non

[1] The text of the Accessus is derived from that of the five principal manuscripts. Minor differences have not been noted. For comments upon this introductory material, see E. A. Quain, "The Mediaeval Accessus ad Auctores" *Traditio* III (1945), 215-264; F. Ghisalberti, "Mediaeval Biographies of Ovid", *Journal of the Warburg and Courtauld Institutes* IX (1946), 50-51; G. Przychocki, *Accessus Ovidiani*, Krakow, 1911; B. Nogara, "Di alcune vite e commenti medievali di Ovidio", *Miscellanea Ceriani*, Milan, 1910.

[2] A parallel between this prose Introitus and that which is found accompanying the *Ephemeris Belli Troiani* of Dictys Cretenis, has been pointed out by A. Monteverdi in *Atti del Convegno Internazionale Ovidiano* (Rome, 1959), II. 190.

cadunt in numero librorum suorum, scilicet de Cuculo, de Philomena, de Pulice, de Sompno, de Nuce, de Medicamine Faciei, de Mirabilibus Mundi. Tertio loco fecit de Arte Amandi, ubi quia docuit iuvenes esse adulteros et matronas impudicas Augusti Cesaris indignationem incurrit. Quod si cause familiares alie suffuerint, ista tamen principaliter videbatur pretendi. Ad mitigandam igitur iram Augusti, quarto fecit librum de Remedio Amoris, subiunxit etiam quinto loco librum Fastorum sive licitorum in honore Germanici Cesaris, qui erat futurus pontifex anni illius, ut eius interventu Augusti gratie reddi posset. Sexto loco fecit librum Metamorphoseos, in quo laudat Augustum ab antecessoribus per Eneam. Sed cum nec per hoc etiam idem Germanicus Augustum flexibilem invenisset, comperiens quod etiam meditaretur qualiter Ovidium morti traderet, vix tandem impetravit ut viveret saltem in exilio relegandus. In exilii cuius itinere fecit septimo librum Tristium, libro Metamorphoseos incorrecto relicto. Cum autem in exilium pervenisset, octavo fecit librum de Ponto, et nono librum in Ibim invidum suum, quem scilicet ita vocat. Cumque per litteras amicorum suorum didicisset ad plenum quod, vivente Augusto, revocari non posset, decimo et ultimo composuit librum istum in quo iam desperatus et undecumque solacia sibi querens, reducit ad memoriam modum suum vivendi quem habuerat dum vacaret amori, et quare mutavit eum, et ad quem modum mutavit. Precepit autem in ultimo vite sue librum istum poni secum in sepulcro suo, vel quia sibi ceteris cultior apparebat, vel quia in eius fine commendat se prime cause post mortem, vel demum quia sperans ossa sua saltem post mortem Augusti ad solum patrium referenda. Volebat cum eis etiam istum librum referri, ut eorum relatio non careret honore, et quia non fuit qui post mortem ipsius de suis ossibus curaret, liber ideo non Romam missus est, nec autemptim lectus est, nec habetur in usu.

Vixit autem idem Ovidius sicut in annalibus invenitur, usque ad secundum annum Tiberii, scilicet per duos annos post mortem Augusti, qui fuit annus octavus decimus a nativitate domini. Sed nescitur si pervenit ad ipsum de morte Augusti, tum quia valde remotus erat ab urbe, cum quia rarissime veniebat ad partes illas ab ea, quodsi forte pervenit, simul etiam potuit pervenire quod Tiberius facta patris sui nullatenus revocaret. Nuper autem in suburbio civitatis Dioscori, que regni Colchorum caput est, cum extraherentur quedam gentilium antiquorum sepulchra de cimiterio publico, quod iuxta oppidum Thomis est, inter cetera unum inventum est, cuius epigramma litteris Armenicis erat sculptum in eo, eiusque interpretatio sic sonabat: hic iacet Ovidius ingeniosissimus poetarum. In capite vero sepulcri capsella eburnea est inventa et in ea liber iste nulla vetustate consumptus. Cuius litteras non agnoscentes, indigene miserunt eum Constantinopolim Vatachii principis tempore, de cuius mandato Leoni sacri palatii prothonotario traditus est, et ipse eum perlectum publicavit et ad multa climata derivavit[3].

Ex his apparet quis fuerit auctor libri, et sic causam efficientem habemus. Item que materia, videlicet modus vivendi, quem habebat dum vacabat amori et causa mutationis eiusdem ad illum modum quem habuit cum iam ab amore vacabat, et sic patet iterum causa materialis. Intentio ad causam finalem pertinet, que fuit, ut auctor exemplo sui nos ab amore temerario revocaret. Utilitas ex intentione procedit, ut nos videlicet taliter revocati ad frugem melioris vite, per consequens transferamur. Modum agendi ad causam formalem non est dubium pertinere. Is tripertitus est; aut enim attenditur circa verba, aut circa sententias, aut demum, circa comparationem sententiarum cum verbis. Circa verba quidem, quoniam metrice et non prosaice scriptus est, et est versibus heroicis totus scriptus, id est, exametro dactilico, quod cum nec mos Ovidii nec materie qualitas exegisset, causam eius assignat in initio libri sui. Modus vero agendi circa sententias ad libri spectat divisionem, et partium continentiam singularum, quod cum ad librum descendimus, palam fiet. Modus agendi circa comparationem sententiarum cum verbis triplex est: dragmaticus, qui personas loquentes inducit, sine interlocutione poete; exegematicus, ubi sine personarum introductione, loquitur auctor solus; scenicus, sicut hic, ubi reperitur utrumque. Titulus ex auctoris nomine et materia componitur in hunc modum: Ovidii Pelignensis de Vetula liber primus incipit. Nomen auctoris iam expositum est; de Vetula vero ideo dicitur quia vetula fuit causa quare mutaverit modum suum vivendi. Primus autem ideo dicitur quia secundum habet, cui demum parti philosophie supponi debeat. Ideo queritur ut sciatur quo ordine legi debeat, scilicet ante et post quem librum conveniat ipsum legi, si qui forte sint vel preambuli vel sequaces; debet itaque legi liber iste librorum suorum ultimus, vel quia ultimus factus est, vel quia finalis ipsius continet voluntatem. Ceterum ad moralem philosophiam pertinet, cum libri primi maior pars contineat economicum modum eius vivendi; finis eiusdem et secundi initium politicum modum tangit; secundi residuum ad modum monasticum convertitur; preteritum quidem, et totus liber tertius ad futurum.

[3] An interesting summary of attempts to identify the place of Ovid's exile is given by A. Gregorian *Atti del Convegno Internazionale Ovidiano* (Rome, 1959), II 315-323.

Itaque descendamus ad librum, preter prefationem sive argumentum Leonis, quod de libro non est. Premittitur ab ipso auctore loco prohemii quedam prefatio in qua, ut dictum est, se excusat quare contra morem suum versum pentametrum hic excludat. Libri vero sequentia in tres dividuntur tractatus, quorum primus describit modum vivendi quem habuerat dum vacaret amori; secundus, quare mutaverit modum illum vivendi; et tertius, ad quem modum mutavit, ad illum scilicet quem habuit postquam iam ab amore vacabat, que tria in dicto Leonis argumento tanguntur.

Primus autem tractatus in duas partes primo dividitur: prima pars est capitulum in quo dicit se vacasse amori et totum sexum muliebre dilexisse, sed unam specialiter, contemplatione cuius, omnes etiam alias honorabat; secunda pars, in duas iterum partes dividitur, in quarum prima dicit qualiter amore illius absolute vivebat; in secunda, qualiter comparative, et hic tripliciter, vel in domo, vel extra domum, vel in eis que tam intus quam foris exerceri contingit, sicut sunt ludi; et in domo dupliciter, vel in aula publice, vel in thalamo secrete, et hoc, vel in lecto, vel extra lectum; et extra lectum, vel in otio vel studendo; in lecto vel in consortio vel sine eo; et in consortio, vel virginis vel nupte vel vidue; extra domum dupliciter, non venando vel scilicet venando; tripliciter, vel aves, vel feras, vel pisces; aves vel cum ingeniis vel per aves rapaces; feras vel minores vel magnas; pisces vel marinos vel fluviales. Tertia pars, ut dictum est, est de ludis. Ludi duobus modis sunt, vulgares aut philosophici. De vulgaribus primo dicit, ludum deciorum detestans, alearum licet excusatione permissa, tamen finaliter reaccusans et scacorum commendans, eum precipue celi militie comparando, cui quia valde similis est ludus demonstrativus rithmimachie, eum ceteris ludis philosophicis anteponit. Prius tamen de minoribus ludis vulgaribus se excusat, et sic ad ludum rithmimachie primo descendit, a vulgaribus ad philosophicos transiturus et inde iterum se translaturus ad practicam divinationis numerorum, que apud Indos vocatur ludus algebre et almucgrabale, id est negotiationis et census. In eos primo invehitur quia causa lucrandi student potius quam sciendi, et inde ad proclamatores curiarum descendit; secundo transfert hoc crimen in potestates civitatum et in electores eorum; descendit etiam ad promotos per ipsos et sic demum revertens, ad ludum divinationis terminat hunc tractatum.

In secundo tractatu causam assignat, ut dictum est, quare mutaverit dictum modum vivendi, qui divisus est in tres partes. In prima dicit quod suam voluntatem mutavit; in secunda et tertia narrat duas fabulas, ex quibus elicitur causa mutationis illius. Prima remanet indivisa, ubi quoad hoc, quod cum incipiat dicere se hactenus solos potentes coitus laudavisse, modo impotentes commendat pro eo quod possunt a consortio mulieris abstinere, et eorum enumerat quinque modos, videlicet frigidos naturaliter, et castratos; et hoc quattuor modis, uno per violentiam, tribus per medicinam, aut enim patiuntur rupturam siphac, aut herniam, aut alios morbos putrefacientes testiculos, sicut forte fistulam sive cancrum, quibus enviratis. Sub pretextu commendandi eos pro eo quod possunt ab amore mulierum continere, subiuncturus in ipsos invectivam fascetam. Descendit ad particulares scientias, vituperans eos secundum singulas, primo grammatice, secundo dialectice, tertio rethorice, quarto mathematice, quinto physice, sexto medicinaliter, septimo ethice, octavo methaphisice, et hoc tribus modis: primo quidem generaliter, deinde descendendo ad ritum gentilium, et ultimo ad legem Iudeorum, et deinceps de mutatione voluntatis sue, utens transitu ad causas mutationis eiusdem. Eliciunter autem ille cause, ut dictum est, ex duabus fabulis. Prima fabula est de quadam vetula, que, cum deberet esse mediatrix, inter ipsum et quandam cupitam virginem decepit eum, nisa se ipsam supponere loco ipsius virginis nocte quadam. Hec fabula dividitur in tres partes: prima est de desperatione predicte virginis; secunda de narratione facti; tertia de maledictione vetule. Secunda fabula est de eadem virgine quam scilicet iuventulam dilexerat, et qualiter sibi tandem inveterata consensit. Hec dividitur etiam in narrationem facti et regratiationem talem, qualem inveterate, quia regratiationi miscet maledictionem, regratiatus pro eo quod sibi consensit, maledicens nichilominus quia tarde, et in conclusione mutationis tam voluntatis sue quam et modi vivendi, liber terminatur secundus.

Verum in libro tertio sic procedit. Primo dicit qualiter victurus est derelicto amore; nobilibus scientiarum exercitiis vacaturus, et ad devotionem creatoris suum studium conversurus residuis suis diebus, quod idem creator sibi per stellas sicut per instrumenta concessit, occasione cuius describit qualiter instrumenta sunt eius; secundo illum solum asserit esse deum, videlicet creatorem, et improbat pluralitatem deorum; tertio dicit quid ille deus sit, et qualiter fecerit mundum, distinguens eum in partem celestem et partem elementarem, et iterum utramque dividens, elementarem in quattuor, et celestem in novem corpora, que in celis sunt, et motus corporum, motus quoque elementorum breviter memorando; quarto describit qualiter minor mundus est homo, et quid in ipso vice celorum, quid vice elementorum fungatur, et deinde quibusquam ex supercelestibus attribuit proprietatem in quattuor elementis et eorum contentis; quinto descendit ad hominem et ad curam dei circa individua speciei humane et ad creationem et infusionem anime rationalis et ad separationem ipsius, quantum ad potentiam intellectus speculativi; sixto revertitur ad motum celi, probans per immortalitatem anime, quoniam stabit motus, ex quo et ad generalem resurrectionem corporum mortuorum se transfert; septimo describit mortem, ubi videtur assumere verba quibus usus est Salomon in fine libri Ecclesiastes, et inde subiungit quod timenda non est dies mortis sibi, si serviat creatori etsi ad aliud non esset utilis, quam ad hoc quod terminat exilium suum. Adhuc est hoc aliquid; refellit enim illam opinionem Pytagore, quam asseruerat in quinto decimo libro Metamorphoseos de exercitio animarum in inferno, et querit meliorem sententiam philosophorum ex scientia indiciorum astrorum, cuius quorundam principiorum facit rememorationem, ut ex ipsis assignet causam significationis fidei, per quam queritur fortuna futuri seculi, et differentiarum ipsius. Probat itaque quod sunt sex, quarum quattuor ima precesserant, que erant venture, et probat quod ultima tollet omnes alias, nec tamen diu durabit et quod, ea deficiente, si fides aliqua revertatur, non erit aliqua ex eis que precesserant sed tunc primo futura et per quandam coniunctionem, que tunc nuper fuerat; ostendit qualis esse deberet fides illa, et dicit multa per que fides illa apparet esse non alia quam fides Christianorum et quia multa inveniuntur in ea, que sunt contra naturam et que videntur impossibilia, ea salvare nititur, sicut melius potest, tum quia figurata sunt in celo, tum quia predicta sunt, tam a philosophis quam prophetis, et specialiter duo tangit, scilicet misterium incarnationis et misterium trinitatis. Sed dicit ea non posse capi ad plenum, nisi postquam venerit ille propheta, qui predicturus est fidem illam, de quo quia predixerat, figuratum esse in celo et etiam prophetatum, quod de virgine nasceretur. In laude illius virginis terminat librum suum.

MANUSCRIPTS

A Angers Bib. Mun. 506

L London B. M. Add. 22014

M Montpellier Bib. Ec. Med. 366

R Vatican City Vat. Reg. Lat. 1559

S Paris Bib. Nat. Lat. 16252

V Venice Bib. Marc. XII. 57 (4120)

F London B. M. Roy 7. F. XII (III. 1-193)

PREFACIO SIVE ARGUMENTUM LEONIS PROTHONOTARII SACRI PALACII BIZANTEI SUB VATACHIO PRINCIPE IN LIBRUM OVIDII NASONIS PELIGNENSIS DE VETULA

Ovidius Naso Peligni ruris alumpnus,
Certus ab exilio se iam non posse reverti
Et querens utcumque sibi solacia, librum
Edidit hunc, in eo describens quis modus ipsi
Vivendi fuerat tunc quando vacabat amori,
Quare mutavit et quomodo postea vixit,
Quidve intendebat simul ac ab amore vacavit.
Imposuitque suo titulum nomenque libello
De Vetula, pro qua fuerat mutatio facta.
Inque suo secum iussit condire sepulchro,
Ut sua si saltem contingeret ossa referri,
Corredeunte libro redivivum nomen haberet.
Sed quia nullus eis curavit de referendis,
Nec fuit autemptim lectus nec habetur in usu.

PREFACIO OVIDII NASONIS PELIGNENSIS IN LIBRO DE VETULA

Queritur unde michi quod opus processerit istud
Versibus hexametris solum, nec subduplicarim
More meo pentemimerim, cum nullus herorum

Tit. *om. sp. rel.* L Pelignensis *om.* R *add i.m.* R[1] in eundem librum S Ovidii...Vetula *om.* S
1-14 *om. in loco post librum tertium script.* L
3 utrimque L utrumque M utrinque M? V
7 simul ac) silat R ab) sub L
8 libelli R
10 suo iussit secum L
11 contingerit V reverti S
14 Non S auctentim R
Tit. *om.* A Item prefatio ipsius autoris *i.m.* A[1] V *om.* L R Prefactio sive argumentum Leonis prothonotarii sacri palacii bizantei sub Vatachio principe in librum Ovidii Nasonis Pelignensis de Vetula M
17 nullum L

Hic describatur, sed qui perlegerit ipsum
Sedulus, inveniet serviti semper amoris
Amodo me debere iugo subducere, sicque
Respondere sibi poterit cur, evacuata
Causa, debuerit causatus et evacuari
Versus amatorum proprius Venerique dicatus.

OVIDII NASONIS PELIGNENSIS DE VETULA LIBER PRIMUS INCIPIT IN QUO DESCRIBIT MODUM VIVENDI QUEM HABUERAT DUM VACARET AMORI

O quam carus erat michi quamque optabilis ille
Femineus sexus, sine quo nec vivere posse
Credebam quemcumque virum, sed et inferiorem
Me certe quocumque viro quoad hoc reputabam,
Qui procul a cara me vivere posse negassem,
Omnes sollicite venerans unius odore.
Esse michi malens unam, cuius modus esset
Commodus et concors, quam multiplicare puellas.
Ex quibus importuna foret michi forsitan una,
Nam sicut vulgare solet paradigma tenere:
Sicut habens centum, nullam reputatur habere;
Sic et habens unam pro centum computat illam.
Nam nullius eris dum te non vendicet una,
Unaque sufficiet quasi centum solus haberes.
Unusquisque sibi quod mavult eligit, et quod
Non placet hoc renuit; de me scio quod magis unam
Vellem quam nullam, quod concordem magis unam
Quam multas, quarum michi contradiceret una.
Unam propterea cribraram e milibus unam
Perfectam, quam si citius fortuna dedisset,
Inter felices merito numerabilis essem.

18 Hi L
19 amori L
22 causatus) cautus L
23 armatorum V ducatus L
Tit. *om. sp. rel.* L
29 odore) honore M
30 malens mihi L
32 foret *om.* R *i.m.* R[1] una) vita L
39 *vs. om.* V
40 *vs. om.* L

O quantum letabar ea, quantumque iuvabat
Esse sui memorem, quanta dulcedine, curis
Expulsis, pectusque meum mulcere solebat,
Postpositosque iocos modulis revocare sonoris!
Vestibus ornari nitidis faciebat alute
Castigare pedes circumplexu sinuosos;
Nil erat incultum facies nisi sola (puellis
Esse videbatur solis pars illa colenda).
Nec facies neglecta tamen, quin providus essem
Ne circumstarent fluxi vestigia putris,
Seu lacrimalia seu cuiusque foramina sensus.
Et iuvenescebam quotiens, mento reparato,
Barbalem radebat acuta novacula silvam.
Cuius cum spolium nullam ferat utilitatem,
Carior ulla tamen non est, nec debitus ulli
Tantus honor silve; multum placet asperitas hec
Non pro se sed pro signato; silva viriles
Indicat hec animos, vires quoque partis amice
Per quam salvatur species divina, licet sit
Ex individuis mortalibus; ipsa dat unde
Non in se rediens, licet in se visa reflecti
Sed processive generatio continuetur.
Ipsa receptricem fecundat tempore certo,
Sponte refusuram dulcissima pignora natos.
Quo nichil est homini coniunctius; ipsa ministrat,
Unde superba thori consors se grata libensque
Supponat maris imperio, subiectio mira.
Nam famulamur eis, tanta inclinatio nostra
Naturaliter est ad sexum femineum, qui

45 lectabar R
48 Postpositisque L
49 nitidis) viridis L a luce L
50 sinuoso L S
52 Ecce V solum L R
54 puris A M S pluris L pruris R putris *aliquot codd.* 1534 ed.
55 Se/ per lacr. cuiusque V
57 Barbulam L reddebat A
58 conspolium R
60 hoc L
67 Ipsam R
68 refusivam V
73 fem. sex S

Pre cunctis letum me fecerat esse coevis.
    Me refici laute clara faciebat in aula,
Cuius campus erat stratus pro tempore prati
Nunc spoliis, iuncto Cereris nunc stipite flavo.
Invitare bonos mea larga manus satagebat
Et propriis rebus tamquam communibus uti.
Multiplicare dapes, effundere sanguinis uve
Mille modos et ubi rigor exigeret glacialis,
Ignibus accensis truncosque vorante camino,
Estatem revocare, novo quasi sole creato.
Utque meis posset de nocte diescere mensis,
Sidereas aptare faces quas mellis alebat
Sponsa sed ipsius sponsi divortia passa.
Hiis immiscebam quicquid poterat modulari
Concentus varios, licet in diversa trahentes,
Concordare tamen visos, vel voce vel usu
Instrumentorum, quicquid vel musica scribit,
Vel didicere manus, auditu, iudice tacto,
Pulsu vel tractu vel flatu; cimbala pulsum
Dura volunt tractumque fides et fistula flatum,
    Intrabam thalamos etiam siquando libebat
Secretos, ubi lux si vellem, multa vigeret,
Nullaque si vellem, vel si mallem, mediocris.
Inde videre potens silvas agrosque feraces,
Hortos et vites, fluvios et prata lacusque,
Si tamen aspectus horum quoscumque iuvaret,
Quantumcumque iuvet aspectus longus eorum,

75 refici laute) refocillante L
76 stratus) gratus V prati) sprati S
77 virido cereis nunc L iunco M
79 Ut V
81 modus L exigeret) existat L
84 Etque A discere M V diescere M?
85 faces) vaces L
86 divorsia sponsa L
90 vel quidquid L
91 audito V tacto M facto *i.m.* M[2] tactu L R
93 Dum nolunt tactumque L
96 mallem) vellem R
97 poteris L
100 Quantumque M

Aspectum credas et delectabiliorem
Inclusum mecum satis et mirabiliorem.
Nam si dives erat qui visum pascere posset,
Ditior a longe qui pascere sufficiebat
Sensibus intellectum multo nobiliorem.
Sicut enim virtus intellectiva superstat
Sensibili, sic et nisi sit proportio mendax,
Obiectum obiectum superabit et interiori
Luci doctrine, que illuminat intellectum,
Numquam presumet conferre foranea se lux.
Quod si contulerit temere, ridebitur inde,
Tamquam si candela velit contendere soli.
Hec lux doctrine mecum conclusa nitebat
Plusque fovebar ea quam quoquam materiali.
Eleganter erat paries vestitus amenis
Undique picturis diversicoloribus auro
Clarus, imaginibus tacitis preconia clamans
Artificis, non historiam sed mistica quedam,
Demonstrans illis quorum descriptio plus est,
Huius quam libri capiat sententia tota.
Illic lectus erat caro pretiosus amictu,
Quo posset se velle premi quecumque puella;
Si virgo, vim sponte pati captaret in illo,
Que nichil amittens, amisso flore, notatur.
Audacterque thori fedus dirrumperet uxor,
Que fructum faciens, sobolem turbare timetur.
Orba viro refocillari gauderet ibidem
Dum non conciperet, heremi frondentis amica.
Hic flos virgineus, fructusque uxorius illic,

101 Dispectu L
104-105 *vss. om.* V
107 sit *om.* L
108 *vs. om.* M
109 luminat L
110 Nonquam S
111 temera videbitur L
114 fovebat M en quanto quam mat. L
116 diversis coloribus L
121 amicta L
123 vim) inde *i. ras.* L
129 uxoris L V

Hic viduus ramus foliis facientibus umbram
Gratus; sed postquam desertum deserit, illi
Fertilitas metuenda, nisi transegerit annos.
Eligit hic flores, hic fructus, illeque frondes.
Sed quia crudelis qui famam negligit, illam
Vir prudens cupiat, quam sugillatio fame
Non sequitur; sane virgo manet integra fama
Donec prodat eam partus, vel prodiga lingue
Divulget secreta minus fidis sociabus.
Vel si fors experta virum desiderat ultra
Quam sit opus, nec iam scit dissimulare, sed ignem
Nunc gestu nunc ornatu confessa profundum,
Circuit et querit oculis quem diligit et iam
Gaudia differri non sustinet; intrat et exit
Inconsulta quidem, quia dum sibi non cavet, illi
Nemo cavere potest cecoque furore vagatur.
Verum nupta quoad quedam minus est onerosa
Atque quoad quedam maiora pericula subdit.
Nupta potest ubi vult et quando et qualiter ire;
Si iuvenis, trahit unanimes trahiturque per illas
Seque theatrales simulat ludos adituram;
Si matura, forum pro multis rebus emendis
Esse frequentendum pretendit, deque minutis
Intromittit se, maiora gerente marito.
Quodsi iam non sit humili de plebe nec ipsam
His operam dare conveniat, delubra deorum
Circuit et modicum censet vicina valere.
Plusque remota placent, gaudet novitate viarum,

131 deserit) desit M
133 *vs. om.* M *i.m.* M^1
137 prodigia A V prodiga A?
139 fores V
140 Quem R sit A scit A? scit *om.* R
141 ornata L
144 Non consulta L quia) quem V
146 quoad) quoque ad L quidem V quedam) quendam V
149 iuvenes V iuvenis V^2
151 habendis L
155 conveniet L eorum V

Cotidieque deos creat et miracula fingit
Votis digna novis, quo se promittat ituram.
Nec vadit quia voverit, immo vovet quia vadat,
Cum votum non causa vie sit sed via voti.
Ergo vovet, vel se dudum vivisse fatetur,
Forsitan in partu vel pro valetudine vera,
Seu commenticia causasque perhennat eundi.
Religione quidem lucrata fidem, sed eadem
Est sibi peccandi captata licentia, quo fit
Ut peccatricis excusativa fides et
Audax peccandi fiducia sint ab eodem.
Porro si coitum furtivum, ut sepe, sequatur
Fetus, semper eum tibi sponsus alet, quia semper
Filius uxoris presumitur esse mariti.
Econtra, durum est sollempnizare quod ille
Conculcat, sed et ex nupta poterit quis habere
Maiores inimicitias, quia, pelice lesa,
Non tantum dolet hec, quin rivali magis ille.
Egra sed indempnis iniuria provocat ipsum
Armaque iusta movet, qui si prepossit amanti
Forte superveniens, deprensoque et mutilato
Purget adulterium, fiet commotio risus
In populo, nec erit qui compatiatur eidem
Dampna sui passo, nec iudex audiet ipsum.
  Ad viduam venio, que si tantum timeat ne
Concipiat, parat unde sibi procuret aborsum,
Immemorabilibus se potatura quibusdam,

158 mirabilia M
159 quo) que L
161 fit A M
165 eandem M
166 precandi V sit V
167 excausativa L
172 ille) alter V
173 conculcata sed A conculcat/ sed A^1
175 hoc L
176 Erga L indemptus A in tempus R
177 qui) que A quis R preposset L prepossit L^1
178 et *om.* L
180 Risus in populo L
182 cupiat R *sscpt.* vel timeat R^1
184 Immemorabilis M

Ut nondum nati fiat miserabile bustum.
Vel si iam natus clamore repleverit auras
Accusans matrem, subito perplexa stupore
Et furiis agitata novis, improvida stringit,
Aversis oculis, teneri puerilia nati
Guttura nec spirare licet, sed deficiente
Aere, non reperit quid cordi pulmo ministret.
Et moritur, nondum gustato lacte parentis.
Proh scelus, o superi, fit ut insons sentiat hostem,
Cuius pars uteri nuper fuit, ut prius inter
Manes quam vivos habitet, prius experiatur
Mortem quam vitam, vix natus tempora complens
Et matris peccata luens; illi, hercule, que sic
Tractat inhumane sua viscera, me male! credam
Quin irata michi dando sit prona veneno.

Dii bene pro foribus si quorumcumque deorum
Proiectus flesset, elemosina publica saltem
Nutrivisset eum nullius et omnis alumpnum.
Dic michi crudelis, dic mater cruda, tirannus
Quid plus fecisset? deeratne pater? modo desit!
Numquid mater eras? ubi tu? non corpore deeras,
Ut mater deeras? utinam tu defueris! Nam
Si sibi fatorum series utrumque parentem
Subtraxisset, adhuc hodie superesset; at una
Quam natura sibi debebat ad omnia totam,
Que merito speranda fores sic tota futura
Plus sua quam tua, quod materno federe velles
Nutricis geruleque vices supplere, fuisti
Una inimica sibi, confundens omnia iura.

Felix qui posset vitare pericula sed qui

186 auras) aulam L amas V
187 timore L stuporem R
189 Adversis R nate V
190 spirarem L
193 celus V sit V
197 hercule) hic culpe V
200 bene) quoque L
202 alumnus S alumnum S[1]
205 eras) erat L deeras) deerat S
206 tu fueris A tu non fueris A[2] R
207 sibi) quis R tibi V series) similes M parentem) parentes L
212 vires R fuistis L
214 potuit M

Scandala vitaret, longe felicior esset.
Nam sicut melius mortali corpore nomen
Quod manet eternum, sic sunt peiora periclis
Scandala corporeis, cum sint contraria fame.
Felicissimus est igitur qui vitat utrumque,
Dum tamen optata possit quandoque potiri.
Ha, quantis voluit rationibus insinuare
Nature pater et dominus se velle quod usque
Propagarentur animalia; nam quis amaret,
Quis tantum appeteret, nisi bruto ductus amore,
Tam fedum coitum, nisi delectatio tanta
Tamque potens esset genitalibus indita membris?
Sed potuit, scivit, voluit tantam indere. Nosque
O utinam cupiamus eam iuxta quod oportet!
Legem nature fixam ponamus et illam
Circumscribamus modo, que positiva vocatur.
In qua peccabo, si fecero quod prohibetur,
Non quia peccatum sit, sed quoniam prohibetur.
Rursum preceptum si negligo, non quia iustum,
Sed quia preceptum, circumscripta modo tali
Lege loquor, ne multa loquens immiscuerim quid,
Quod contra legem possim dixisse videri.
In votis tunc esse meis plerumque fatebar
Felicem, si quis cognoscere posset amicam.
Dum levum capiti submitteret ipse lacertum,
Ipsa suum levo lateri dextrum daret atque
Molle femur, sed et una manus restaret utrique
Libera secretis tractatibus apta quibusdam.
Pectora sic essent sibi iuncta, quod ubera pressam
Cordis amatoris circumstarent regionem.

219 est *om.* L
221 Ah L Haa M
224 Quid V Quis ne peteret L
227 scivit) struit R indere) invidere R videre V
232 quia) quoniam S
239 committeret V ille L
241 et *om.* L manus) mari R S man' S^1 restare V uterque L
242 Liber L tractalis L tractantibus V quibus A quibusquam R

Fomentum stimulans stimulumque datura foventem
Ad meditativam coitu superevigilandam
Oscula dempsa darent, sibi colluctantibus inter
Denticulos linguis, dulcem suggente salivam
Alterutro, leni cum murmure membraque membris
Aptarent, multisque modis multisque figuris
Iuncti vagirent circumvolvendo sibi se,
Illecebrasque suas verbis augendo iocosis.
Seque observarent ut neuter preveniendus
A consorte foret, vel preventurus eundem,
Quin simul ad Veneris lacrimas, quas motus amicus
Elicit, adducti quasi commoriendo iacerent.
Iam velut exanimes facti, cessare coactis
Motibus, et tanta victis dulcedine, quantam
Tantorum completio dat desideriorum.
Iamque viderentur animas efflare vicissim
Alter in alterius faciem, virtute sepulta.
Et tandem sensim redeunte resurgere vita
Quamvis inviti, mallentque fuisse morosas
Delicias istas; et gaudia tanta docere
Nullus inexpertus posset nullusque doceri.
Sed quia nulli sunt adeo consortia cara,
Quin aliquando velit consorte carere, iuvabat
Nonnumquam solum spatioso me dare lecto.
Et quia non semper domibus delectat inesse,
Mos erat interdum, turba comitante meorum,

246 coitus L
248 linguam V dulc. sugg. sal. *om.* L suggent S suggentque S^2 suggentem V
249 levi *A* boni V mur. memb. memb. *om.* L
250 *vs. om. L* Apparent V
253 venter V
256 adduti R
258 vicis R quanta V
259 complexio M
262 sensum A M sensim $A^?$ sensi L
263 invicti R V morosam L M R S V morosam A morosas A^2 edd. 1534 et 1662
264 ita S tanta S^{1st} tantaque doceri V
265 *vs. om.* V
267 iuvabit A
269 non) me A Et quia me semper tedebat domibus inesse R

Compicuos phaleris in equos conscendere, fontes
Visere cum saltu de montis ventre scatentes,
Precipiti rivo modo subvertente lapillum.
Fructiferis et odoriferis versabar in hortis,
Olfactuque vagos florum venabar odores.
Tempore vernali processu temporis undas
Fluminis intrabam, cumque essem plus gravis illis,
Alterno motu me reddebam leviorem,
Bracchia sic iactare sciens et crura movere.
Quod quamvis gravior, quamvis unde leviores,
Lucrabar levibus graviorem me superesse.
Et modo silvarum latebre, modo prata placebant,
Nunc Bacchi Cererisve nemus; meditabar ubique
Qualiter hic vel ibi iocunde vivere possem.
   Nam curis plerumque urgentibus, ut relevarer
Nunc volucrum turmis michi mos erat insidiari,
Ventilabro moto passim, stabilone ligato,
Fila supertracturus eis, si forsitan illic
Oblectarentur; per equum deducere quasdam
Donec in alatas caligas et pyramidales
Intrassent minime rediture; gesticulando
Quasdam, sicut agunt pastores cum ioculantur,
Sicut et ad sistrum saltat lasciva puella,
Sicut multotiens agitur furiis agitatus,
Sicut iectigat is cuius nervi resoluti.
Nunc quasdam laqueis, quasdam visco retinere,
Quarundam visus obtundere noctibus igne,
Aut improvisas involvere rethibus illas.

272 de *om.* V
273 subvertende V
274 Fruct. sed et V versabat A R versabar $R^{?}$ in hortis) mortis *i. corr.* S
281 Luctabar L
283 ceteris V
285 Iam R relevaret A revelarer L levaret V
287 spassim S
289 Olectarentur A Obiectarentur R quadam V
295 ictigat L gestitat M rettigat R iettigat R^{1} cui A L R
297 Quarundem L
298 improvisis L illis M

Nunc avidis avibus pavidas terrere vel illas
Quas fluvius, vel quas ager aut nemus educat, hasque
Prendere, quas nec penna celer sublimat in altum,
Nec nemus occultat, nec aque submersio salvat.
   O quicumque pias furtiva fraude columbas
Talibus ingeniis aliisve, quibusque fatigas
Cultrices Veneris fecundas prole, gemellos
Omni mense fere sibi multiplicare potentes,
Questu viventes, vastare domestica parcas,
Divitias mense, quorum nec simplicitati
Parcis, nec domini, cuius sunt, utilitati
Defers, ovantes comedens, quarum cibus ori
Non sapit et stomachum male nutrit, durus utrique.
Omnibus in templis anathemate percutiaris
In quibus alma Venus colitur seu filius eius.
   Nunc michi mos etiam venatum per nemus ire
Et strepitu cornuque cavo, et mordacibus omnes
Sollicitare feras canibus, vestigia doctis
Certa sequi et numquam mutaturis semel actam.
Nunc illis arcere lupos, ut simplicitati
Parcatur timidarum ovium, vulpisque dolose
Cautelas urgere vicemque rependere fraudi.
Armatosque metu lepores retrovertere, dammas
Ignavas lassare cito capreasque fugaces
Prendere, dum caput occultant nullumque videntes
Arbitrantur et a nullo se posse videri.
Nunc ad cuniculum fovee munimine tutum,
Mittere furonem, qui dente lacessiat ipsum,
Donec in insidias pretensas rethiolorum

300 ago S ager S^2
301 celerum V
302 aqua L submercio L
305 Veneris) nemoris M
306 Cum mense L
307 vastate V
314 mox et venatum L per nemus *i. corr.* L
317 imitatoris R acta R
321 meta V
323 Pendere R
325 foveas L
326 syronem L furor S furonem S^{1st}

Se stimulatus agat, male cautus ab obsidione.
Nunc baculis brevibus clavellose capitatis,
Confisos levitate sua promptosque salire
De ramo in ramum, cirogrillos diiaculare.
Nunc quoque precipites inconsulteque ruentes
Expectare sues, quos in venabula torrens
Impetus atque furor agit et temerarius ausus.
   Nunc cervum celerem succinctum cruribus altis,
Per dempsos veprium ramos ramosa ferentem
Cornua, et auditum quod terruerat, repetentem
Vel morsu retinere canum vel aquas adeuntem
Cum longo cursu; iam deficit halitus oris
Speque renascendi seque ut refrigeret, haurit,
Non quod eum reparetve fuge reparetve labori,
Sed quod sic fauces sitibundas impleat, ut non
Confortetur eo sua virtus, immo voluntas
Inconsulta quidem, nam quod sorbetur ab illo
Torporem generat, cum querere debeat illa
Que faciant agilem; tunc mos violenter adire
Ut vel se reddatur ripe canibus lacerandum,
Vel mediis mersus succumbat aquis redimendo
Morte metum mortis, gravior qui morte quibusdam.
Vel certe postquam nuper per opaca repertum
Excivere canes vestitum fronde, latere
Qua sperabat, eum venator preteriturum
Expectareque, dum veniat, certaque sagitta
Figere moxque canis, gustato sanguine, naso
Credere, sicque sequi quoad usque cubilia, tandem

330 Confidos V
331 ramum in ramum L
332 precipes S tuentes A V
333 suas L
334 usus L
335 cornibus L
337 qui L R
338 morsum L redeuntem M
340 Sepeque ren. sepe ut L
342 quod om. R
344 ab illo *i. corr.* L *ipso* R
345 debeant L
346 faciunt M mox L
348 mersas L
350 per *om.* V
351 Exciverat at *i. corr.* A Ex cinere L Exivere M S Ex itinere R
353 certa// L certaque L[1] que *om.* R

Intraret fessus, quibus inventus caperetur,
Ne moreretur inutilis in lustris sed in aula.
Preterita iam morte nichil sensurus adesset
Festivus, quia iam tutus, quia mors semel usa
Iure suo non plus in idem fungetur eodem.
Nunc et erat michi mos pisces captare marinos,
Rethibus hos, illos hamis, illosque sagena.
Alatis quosdam caligis in pyramidalem
Conum protensis; etiam nunc ad fluviales
Me convertebam, connexis vimine quosdam
Decipiens calathis, ubi cederet ingredienti
Virgula flexibilis pisci, reditumque paranti
Mordax eiusdem cuspis preacuta negaret.
Quosdam decipiens aliquando tenacibus hamis
Vermibus allicitos, quosdam per linea, fila
Nodosis connexa modis, involvere gnarus.
Dum lignumque supernatat et plumbum petit ima,
Neve vel aeriam saliens approximet oram,
Vel fodiens in visceribus limi peregrinet,
Illudens nobis alienis ex elementis.
Et nunc anguillas tonitru terrente minaci
Attonitas, et aque se precipitantis in archam
Cursum sectantes, servare manu capiendas;
Nunc et dentato transfigere pectine visas
Cum face succensa nitidis de nocte sub undis.
Sontibus a curis per talia me relevabam,
Solos evitans decios, quibus alliciuntur
Multimode multi, de quo super omnia miror.
Quis furor est homines exponere sic sua sorti,
Cum solus casus in talibus inveniatur!

357 in *om.* L
359 Festinus R
360 fingetur M
362 hamos R hamis R^1
375 alienusque L
376 tunc V torrente R mirati L
379 dictato V transfige V
380 succensas M suscensa/ M?
381 Sumptibus R
383 multi) mali L
384 Quid M est ut hom. L

Unde venire potest hominem quod taliter urat
Tantus amor ludi tamque irrefragabilis ardor?
Quid tibi cum numeris? Quid habet numerus numero plus?
Quid curas prior alteruter veniat numerorum?
Mirari non sufficio, quero undique causam,
Non tamen invenio, nisi quod pretendo sequaces
Ludi lucrandi solius odore moveri,
In summo cupidos aliterque acquirere segnes
Et demum fures, si possit adesse facultas.
   Vidi multotiens ego de patre paupere natum
Multiplicasse sibi nummismata, multiplicasse
Divitias alias et agros agris cumulasse
Atque domos domibus; vidi contraria, nam cui
Predecessores acquisierant bona multa,
Omnia dispergens, lusor, temulentus, adulter,
Omnia paulatim vendebat et omnibus usus,
Tandem ad egestatem supremam deveniebat.
Vidi nonullum, cuius possessio multa
Nec dispergebat vendendo taliter illam,
Sed minus incaute faciebat deteriorem.
Forsitan in domibus plumbo tectis habitabat?
Ostia de ferro sibi de ferroque fenestre.
Pro plumbo lateres mutabat, ferrea vendi,
Atque saligna loco poni faciebat eorum.
Expensurus erat quod de pretio remanebat.
   Quem consuetudo mala, difficilisque relinqui
Vini potandi maturos duxit ad annos,
Et bona dispergit pro consuetudine tali;
Quod delectat habet, aliquatenus excusatur.

386 iuret R
387 tamquam refrag. L inrefrenabilis R
388 numeris) numerus L
389 curat S curas S^1
391 petendo R
392 odore) ordine R
393 summo) animo V que *om.* L.
395 parte A patre A^2 p̄re M
404 totaliter L
406 Forticam L
412 Vi A ni *sscpt.* A^1 potanti V

Qui vero facit hoc, optatum ut pascat amorem,
Ut, cui forma deest, desunt moventia verba,
Saltem muneribus cara potiatur amica;
Quod delectat habet, aliquatenus excusatur.
Sed qui pro ludo sua dispergit, nichil unde
Excusetur habet; nichil est insanius ipso.
Mercator prudens, non semper, non ubicumque
Vel vendit vel emit merces quascumque, sed illas
Vendit tunc vel ibi quando care, vel ubi sunt
Et quando, vel ubi viles, emit has ibi vel tunc,
Cognoscitque bonas et inest industria multa.
Sed locus et tempus desunt lusoribus, et res
Que fieri possit, modo vilis vel modo cara.
Forte tamen dices quosdam prestare quibusdam
Ex numeris, quibus est lusoribus usus, eo quod
Cum decius sit sex laterum, sex et numerorum
Simplicium, tribus in deciis sunt octo decemque,
Quorum non nisi tres possunt deciis superesse.
Hi diversimode variantur et inde bis octo
Compositi numeri nascuntur, non tamen eque
Virtutis, quoniam maiores atque minores
Ipsorum raro veniunt, mediique frequenter.
Et reliqui, quanto mediis quamvis propiores,
Tanto prestantes et sepius advenientes,
His punctatura tantum venientibus una.
Illis sex, aliis mediocriter inter utrosque
Sic ut sint duo maiores, totidemque minores.

415-418 *vss. om.* L
416 monentia A M R
419 dispergit) spargit L
420 nichil insan. ipso est L
423 ibi) illi R sibi S /ibi S$^{?}$
424 hac S
429 lusoribus et usus R
430 doctus sit V
433 inde bis) videbis R
436 raro mei veniunt A mei *exp.* A$^{?}$ rari R
437 medii que proprie res L
438-439 *vss. confl.* (prestantes tantum ven. una) L
439 Hii pectatura V
441 sint) sic A maiorem A maiores A^{1}
441-449 *vss. om.* L

Una quibus sit punctatura, duoque sequentes;
Hic maior, minor ille, quibus sit bina duobus.
Rursum post istos sit terna deinde quaterna,
Quinaque, sicut eis succedunt appropiando
Quatuor ad medios, quibus est punctatio sena.
Que reddet leviora tibi subiecta tabella.
Hi sunt sex et quinquaginta modi veniendi.
Nec numerus minor esse potest vel maior eorum.
Nam quando similes fuerint sibi tres numeri, qui
Iactum componunt, quia sex componibiles sunt,
Et punctature sunt sex, pro quolibet una.
Sed cum dissimilis aliis est unus eorum
Atque duo similes, triginta potest variari
Punctatura modis, quia si duplicaveris ex sex
Quemlibet, adiuncto reliquorum quolibet, inde
Producens triginta, quasi sex quintuplicatis.
Quod si dissimiles fuerint omnino sibi, tres
Tunc punctaturas viginti connumerabis.
Hoc ideo, quia continui possunt numeri tres
Quatuor esse modis, discontinui totidem; sed
Si duo continui fuerint, discontinuusque
Tertius, invenies hinc tres bis et inde duos ter.
Quod tibi declarat oculis subiecta figura.
Rursum sunt quedam subtilius inspicienti
De punctaturis, quibus una cadentia tantum est,
Suntque quibus sunt tres aut sex, quia scema cadendi

442 punctura V
443 bina) viva V
444 istos sit) mortem fit M trina S
446 modios V
451 Iactam L compossibiles R
452 ses A s *exp. et* x *sscpt.* A[1] sex sunt L qualibet V
453 dissimiles est aliis untus (*sic*) L
456 Quelibet M
457 Produces L contuplicatis L
462 Sed si duo L
463 ter) tres L
Inter vss. 464-465 Tabula diversitatis puncturarum M punctaturum S *tab. om. sp. rel.* L
465 Cursus L quidam L
467 Sunt quibus et L scema) sequa V

Tunc differre nequit, quando similes fuerint tres
Predicti numeri; si vero sit unus eorum
Dissimilis similesque duo, tria scemata surgunt
Dissimili cuicumque superposito deciorum.
Sed si dissimiles sunt omnes, invenies sex
Verti posse modis, quia quemlibet ex tribus uni
Cum dederis, reliqui duo permutant loca, sicut
Punctaturarum docet alternatio; sicque
Quinquaginta modis et sex diversificantur
In punctaturis, punctatureque ducentis
Atque bis octo cadendi scematibus, quibus inter
Composit numeros, quibus est lusoribus usus
Divisis, prout inter eos sunt distribuenda.
Plene cognosces quante virtutis eorum
Quilibet esse potest, sue quante debilitatis.
Quod subscripta potest tibi declarare figura.
  Non igitur solus ibi casus inest; ego vero
Dico tibi brevibus casu non posse carere,
Quod tibi vel socio concedat sors meliorem.
Respondes quod inest ludo ingenium iaciendi
Excludens casum, sed ad hoc etiam tibi dico
Si recte iacias, modicum valet; ac aliter quam
Recte si iacias, furtum committis; eoque
A ludi socio comperto probra sequuntur.
Iuratur temere, blasphemia multiplicatur.

469 vero) non R horum L
471 supposito R
vss. 473 et 476 *confl.* (modis et sex diver.) 474-475 *om.* R
474 periunctant V sua S loca S^{1st}
475 Puncturarum L
480 Diversis M De visis V prout est inter R distribuendi L S
482 Quibus R
Inter vss. 483-484 Quot punctaturas et quot cadentias habeat quilibet numerorum compositorum A M R S *i.m.* V puncturas M
484 [N] am V ibi *om.* L
486 concedit M
487 Respondens V
489 iaceas V
490 iaceas V fru A *exp. et* furtum A^{1st} comites V
492 multiplicantur L

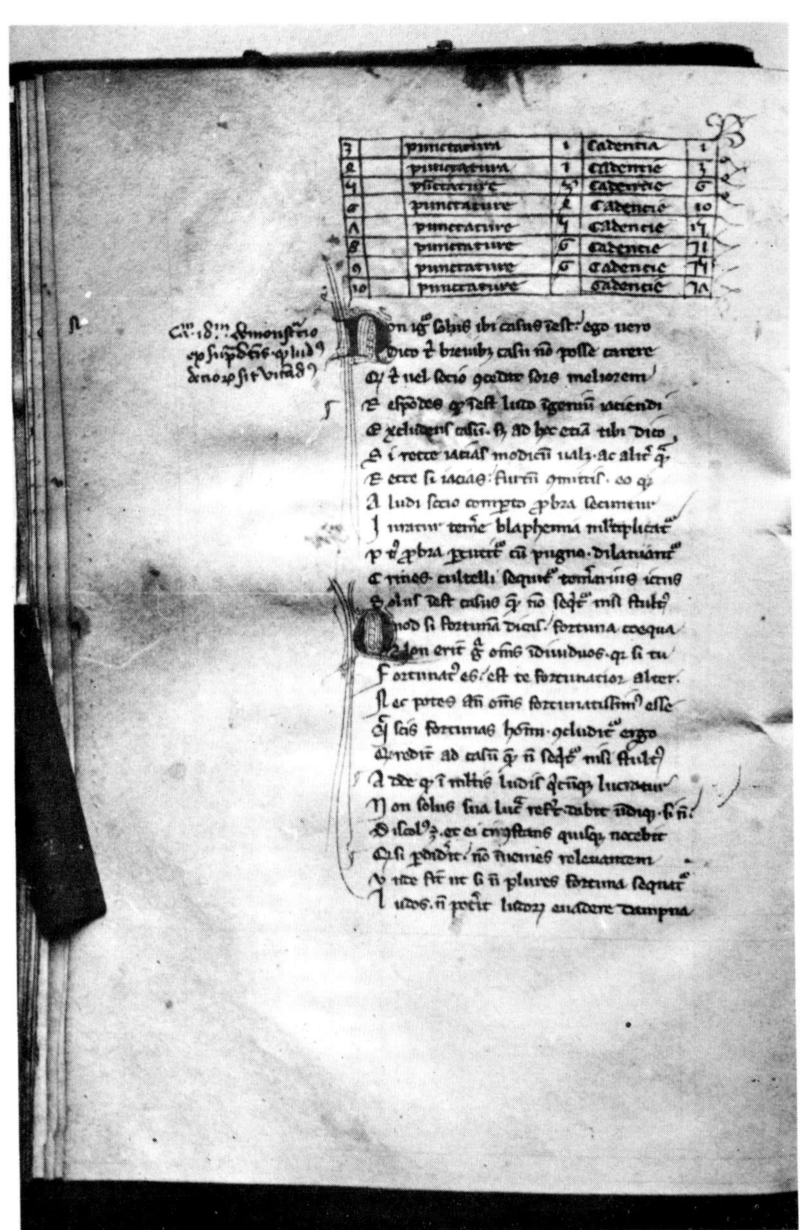

PLATE II

Post probra percutitur cum pugno, dilaniantur
Crines, cultelli sequitur temerarius ictus.
Solus inest casus quem non sequitur nisi stultus.
   Quodsi fortunam dicas, fortuna coequa
Non erit erga omnes individuos, quia si tu
Fortunatus es, est te fortunatior alter.
Non potes ante omnes fortunatissimus esse.
Nec scis fortunas hominum; concluditur ergo
Quod redit ad casum, quem non sequitur nisi stultus.
Adde quod in multis ludis quicumque lucratur
Non solus sua lucra refert, dabit undique si non
Discolus est, et ei circumstans quisque nocebit.
Quodsi perdiderit, non inveniet relevantem.
Unde fit, ut si non plures fortuna sequatur
Ludos, non poterit ludorum evadere dampna.
Addeque quod lusor se continuare lucrando
Nescit, perdendo nescit dimittere ludum.
Si fatum ponas, fatui qui fata sequuntur;
Nam, posito fato, libertas arbitrii non
Esset, sed libertas est aliquid; nichil ergo
Est fatum fatuum; fatui qui fata sequuntur.
Solus inest casus quem non sequitur nisi stultus.
Non dico me non lusisse, sed omnia libres,
Que vel lucratus fuerim casuve sinistro
Perdiderim; summam si de maiore minorem
Diminuas, non invenies solidum remanere.
   Excusare tamen speciem ludi deciorum
Nituntur, cum qua deduciter alea pernix,

494 cutellis A cutelli L S
497 indivisos L
499 Nec M V fortuna fixius esse R
501 quam L non) nec R
505 invenies M
509 Stetit V
Inter vss. 509-510 Ut non perdiderit non cessat perdere lusor V
510 ponat V
512 est *om.* L
515 libros L R libres R[1]
516 Si quid ingratus fuerim V casu sive sin. L
518 Diminues L
520 Stituntur V cum qua) quando R qua *om.* A.

Ipsam dicentes pauco discrimine rerum
Pasci posse diu, tanta est dilatio ludi,
Tanta lucri dampnive mora est, successio cuius
Tot parit eventus, quot iactus continet in se
Fine tenus ludus nec sola sorte sed arte,
Procedunt acies et inest industria mira.
Presertim cum multimode mutatio ludi
Quolibet in iactu disponi possit, eo quod
Sicut precessit iactus, diversificantur
In punctatura proprie, quia scema cadendi
Nil operatur in hoc, sed punctatura docet quid
Lusoris faciat viso sollertia iactu.
Quomodo militiam disponat ibi legit, unde
Transferat et quo, quam vel quas, ter quinque suarum.
Et combinat eas, ne si capiantur ab hoste
Solivage cogantur, ut ad sua castra recurrant
Et numeros perdant impensos solivagasque
Hostiles capit, ad sua castra recurrere cogens,
Dampnificansque hostem numeris quibus egerat illas.
Districtusque preoccupat angustatque meatus,
Ut pateat via tuta suis ad circueundum
Atque negetur eis quibus adversarius uti
Debet, sed postquam precluserit omnia, neve
Descendat series sua precipitantius equo,
Exponit quasdam capiendas sponte suarum,

523 dampni ne A est *om.* S cuius *om.* L
524 tactus S
525 nec) sed V
526 et inest) in sese R
528 in actu L
530 prope V
531 sed *om.* R
532 iacta L
533 ubi legis L
534 et) in V
539 Dampnificantisque V hostem *om.* L
539-540 *vss. confl.* M (Dampn. preoccupat *etc.*)
540 Distinctusque S
541 tua V circuenundum L circuiendum R circumeundum V
543 omnia *om.* V
544 series) similes M

Ut renovet sursumque reciprocet obsidionem
Restauretque suam, si rupta est forte, cathenam,
Donec tot teneat captivas quod recipi vix
Possent in castris etiam si castra vacarent.
Vel donec que transierant ita precipitate
Sint, vel dissute quod non possent retinere,
Si quam captivam regredi contingeret illuc.
  Non tamen ad votum numeri succedere iacti
Sepe solent, sed destruitur series magis uno
Perverso iactu quam multis restituatur.
Unde fit ut dubio casu victoria nutet
Et confundantur spes et metus, ac subigatur
Qui quasi victor erat, desperatusque resurgat,
Permutentque vices faciles, hinc inde triumphi.
Spe sterili vanoque metu dum concutiuntur
Seque subalternant, modo victores, modo victi.
Verum quantumcumque iuvet deducere pulchre
Militiam ludi, vel quantum succubuisse
Ludendo pudeat, quantum quoque pascere ludum
Pro modico liceat, vel fortuitu sine dampno
Quantum se recreent, quantove levamine curas
Tempus inutiliter ducendo fallere possint,
Finalis tamen est lusorum intentio lucrum.
Cuius habe signum quod ad infortunia nullus
Sic debacchatur lusor, tantove furore

546 rursumque R
547 rupta) sumpta L
551 Sunt L diffute V
552 contiget L
554 solens L sed) hoc R
556 ut) in M mutet L R
557 et spes et A subagatur L subigatur L?
558 *vs. om.* V que *om.* L
559 Si mutent quam vices R
560 Sepe L
563 succubuisse) pascere R
564 quoque *om.* A
565 furtuito L sine casu dampno M casu *exp.* M^1
566 velamine L
567 deducendo L facile A fallere A^1
568 luctum V
569 quo L quod L^1 infortuita L
570 quantove S furore) ratione L

Torquetur, quin mox sua defervesceret ira!
Si qui lucra tulit, sibi perdita reddere vellet.
Nec minus immodici quam multi perditione
Rixant inter se, sed iurant turpiter, immo
Nomina blasphemant que non meruere deorum.
O mortale genus que te vesania pulsat?
Compellesne deos contraria velle? Quod optat
Alter lusorum, reliquo non posse placere
Constat, et alterutrum, si curant, talia ledent.
Atque ita non poterunt evadere turpia verba
Alterutrius eorum, cum nulla ratione
Possit utrique satisfieri; tu qui modo perdis,
Dic michi, quid debent tibi dii plus quam socio, dic
Si tibi fortunam ludi dare noluerint dii,
Quid de iure tuo minuunt? Iniuria nulla est
Non dare; debueras potius sibi grata negare
Thura, pari pena purgando negata negatis,
Si tamen ex equo cum diis contendere fas est.
At quasi sis lesus, ledis quantum potes armis;
Si posses, lesurus eos. Dic improbe, linguam
Quis docuit formare sonos, quibus egrederetur
Mens tua cum velles? Numquid ratio? Rationem
Quis dedit absque deo, quisquis fuit ille deorum?
Tu vero nullum excipiens, ingrate, lacessis
Igne venenato lingue communiter omnes.
Tu brutis miserabilior, quia bruta datorem
Laudarent, si posse loqui deus ille dedisset.

571 quoniam V
572 reddere perdita R reddere *tot. vs. om.* A *bis script et prior. expunct.* M
573 multa R V
576 O *om.* L
577 Compellasne L
580 potuerit L
581 Alteruter vis S utrius S?
582 tu *om.* R predis S perdis S?
583 michi *om.* R
584 noluerunt L M R
586 tibi L
587 Tuta R
590 eos) eorum S
591 docuit) dedit S
595 veniciato *i. ras.* L

Sicque tibi non posse loqui melius fuit. Ergo
Vel tu blasphemare does vel ludere cessa.
   Est alius ludus scacorum, ludus Ulixis,
Ludus Troiana quem fecit in obsidione,
Ne vel tederet proceres in tempore treuge
Vel belli, siqui pro vulneribus remanerent
In castris; ludus qui castris assimilatur.
Inventor cuius mire laudandus in illo est,
Sed causam laudis non advertunt nisi pauci.
Quam subtile fuit species sex premeditari
Saltus in campis, quos tantum multiplicare
Possemus, quod ab initio nulli duo ludi
Omnino similes fuerint, advertite pauci.
Quod sicut vultus hominum sibi dissimilantur
Hactenus intantum, quod non fuerint duo qui non
Distingui possent, cum tante disparitatis
Causa sit in celo, quia celi nulla figura
Est alii similis, tanta alternatio motus,
Quem septem faciunt per bis sex signa planete.
Et tamen est numerus finitus motibus ipsis.
Sicut et astrorum domini scripsisse leguntur,
Sic ludus factus motus celestis ad instar
Est, ex finitis saltus speciebus in agris.
Infinita tamen est multiplicatio ludi.
Sex species saltus exercent sex quoque scaci:
Miles et alphinus, roccus, rex, virgo pedesque.
In campum primum de sex istis saliunt tres,
Rex, pedes et virgo; pedes in rectum salit atque
Virgo per obliquum, rex saltu gaudet utroque.

599 blasphemate A
602 proceres tederet A *ord. corr.* A[?] redirent L
605 illo) eo L
607 Quod si subt. L
609 nulli) nisi L
617 finitis S istis V
618 dixisse V
620 Est ex infinitis L Ex finitis est M in agris) magnis L
622 Sunt sex spec. salt. R excertent V
623 Rex rocus alphinus miles regina pedinus L res A rex A[1]

Ante retroque tamen, tam rex quam virgo moventur,
Ante pedes solum, capiens obliquus in ante,
Cum tamen ad metam stadii percurrerit, ex tunc
Sicut virgo salit. In campum vero secundum
Tres alii saliunt, in rectum roccus eique
Soli concessum est ultra citraque salire.
Obliquo salit alphinus sed miles utroque
Saltum componit. Celi veniamus ad instar.
  Campos, signa, modos saliendi scito planetas,
Rex est Sol, pedes est Saturnus, Mars quoque miles,
Regia virgo Venus, alphinus episcopus ipse est
Iupiter, et roccus discurrens Luna. Quid ergo
Mercurius? Numquid non omnibus omnia? Certe
Omnia Mercurius, cuius complexio semper
Est convertibilis ad eum cui iungitur ipse,
Sicut et astrorum domini scripsisse leguntur.
Aut quia Mercurii complexio frigida sicca,
Sicut Saturni, licet intense minus, ex quo
Pervenit ad metam pedes; ex tunc Mercurii fit,
Presertim quia tunc salit ut virgo. Venerisque
Mercuriique locus doctrina queritur una,
Et medius cursus est idem semper eorum,
Sicut et astrorum domini scripsisse leguntur.
Nobilis hic ludus nulli suspectus et omni
Persone licitus, moderate dummodo ludat;
Dummodo queratur victoria sola per ipsum,
Non lucrum, ne cum predictis annumeretur.
Cum deciis autem, qui primus lusit in illo,
Fedavit ludum, languebit namque satelles

629 studii L studio V
631 roccus) rectus M
639 non in omnibus V
643 sicca) ficta V
645 Perveniat A Pervenit A? Perver S Pervenit S[1st] pedes *om.* L.
649 legantur L
650 Nobis V
653 ne) non V
654 primo L R
655 lusum R

Immotus, nisi sors deciorum moverit ipsum.
Nec fuit hoc factum nisi vel quia non nisi pauci
Ludere noverunt tractim vel amore lucrandi.
   Sunt alii ludi parvi quos scire puellas
Esse decens dixi, sed parva monere pudebat.
Nuncque magis quam tunc pudet illa minora referre.
Quare pretereo ludos ubi parva lapillos
Nunc bis sex, nunc vero novem, capit una tabella.
Ac ubi sunt bis sex, capit ex hostilibus illum
Ultra quem salit alteruter, nec ibi deciorum
Exigitur iactus; ubi vero novem, bene ludunt
Cum deciis et eis sine quando volunt; capit autem
Unum, quem mavult ex hostibus, iste vel ille,
Quandocumque potest tres continuare suorum.
Istos et similes nec enim prosequar omnes,
Pretereo ludos veniens ad nobiliores.
O utinam ludus sciretur rithmimachie,
Ludus arithmetice, folium, flos, fructus et eius
Gloria, laus et honor, quia totam colligit in se
Ludus, ubi bellum disponitur ordine miro.
Campis in geminis congressio fit numerorum
Quatuor imparium, qui sunt in limite primo,
Cum totidem paribus qui limite sunt in eodem.
Principio numeri numeris non connumerato,
Octoque sunt patres utriusque cohortis,
Auxiliatores, nam parti dantur utrique.
Primo multiplices, quia ducto quolibet in se,
Quadrati subduntur eis, quibus ordine bino

656 noverit L R
657 hoc *om.* A *add.* A^{1}
663 Nunc vero bis sex nunc vero V
664 hostibus S
666 nomen L novem L$^{?}$
668 Quem manibus ex host. L
ille vel iste L V
669 summa A *exp. et* suorum A^{1st}
670 et) vel L neque L ego M enim sscpt. M^{2} persequar L
673 fluctus L
674 totum A R
675 disponitus V
680 partes L patres R pa/res R$^{?}$
683 vino R bino R^{1}

Subsunt supraparticulares, adicientes
Toti particulam dictam patris a quotititate.
Hiis alii subsunt, qui particulas superaddunt
Dictas a numero vincente patris quotitatem,
Uno sed numero patris equales quotitati.
Ordoque binus eis, numeros hinc inde tabelle
Seu scaci portant, et sunt acies bicolores
Ad discernendum, presertim cum paritas et
Imparitas mixte sibi sint in utraque cohorte.
Distinguuntur item scaci tabuleve figuris.
Hii trigonis, hii tetragonis, illique rotundis.
Scilicet ut scaci numeros utrimque rotundi
Primos octo ferant, trigoni sunt octo sequentes.
Tetragoni reliqui, nisi quod duo sunt ibi reges
Pyramidalibus ex numeris; ideo quoque scaci
Pyramidales sunt, et habet pars utraque regem.
In castris parium nonus decimus locus unam
Perfectam dat pyramidem, senarius in se
Ductus, pyramidi basim producit eidem.
Totaque pyramis est nonogenarius unus.
At locus imparium decimus bis pyramidem dat
Tercurtam, cuius basim octonarius in se
Ductus producit, quam pyramidem coadunant
Centenarius et nonagenarius una.
Iste pyramides sunt reges his aciebus
Et sunt ex numeris quadratis omnibus ambe,

687 Dicas R patres M al' pares M^2
688 sed) si L patris M *sscpt.* vel parum M^2 equale V
689 numeros) multos L
690 Sex M *i.m.* al'seu M^2
691 comparitas R
692 mixte) iuste L sibi) si R
693 id A *exp. et* item A^{1st}
694 trigonus R tetragonus R rotundi M *i.m.* al' dis M^2
695 *vs. om.* M *add. i.m.* M^2 Si licet M^2 utrumque M^2
699 pars *om.* R
700 patrum M al' parium M^2
704 Ac L Et V
705 Ter cultam A R
706 quo adunant V

PLATE III

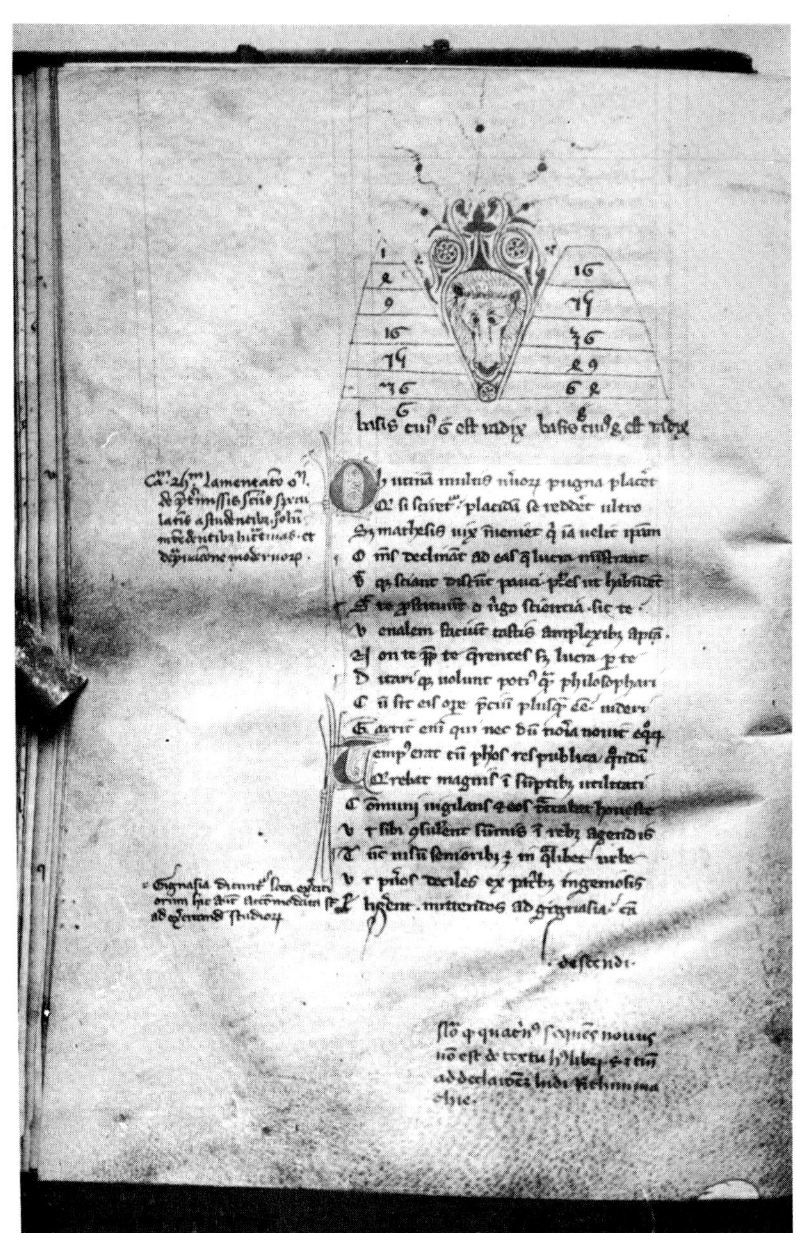

PLATE IV

Quod potes ex tabula subiecta noscere plane.
O utinam multis numerorum pugna placeret!
Que si sciretur, placidam se redderet ultro.
Sed mathesis vix inveniet que iam velit ipsam.
Omnes declinant ad eas que lucra ministrant.
Utque sciant discunt pauci, plures ut abundent.
Sic te prostituunt, O virgo scientia, sic te
Venalem faciunt castis amplexibus aptam,
Non te propter te querentes, sed lucra per te,
Ditarique volunt potius quam philosophari.
Cum sit eis opere pretium plus quam esse videri.
Garrit enim qui necdum nomina novit equorum.
Tempus erat cum philosophos res publica quondam
Querebat, magnis in sumptibus utilitati
Communi vigilans, et eos tractabat honeste,
Ut sibi consulerent summis in rebus agendis.
Tunc visum senioribus est in qualibet urbe
Ut pueros dociles ex patribus ingeniosis
Eligerent mittendos ad gignasia causa
Discendi, quibus ad victum stipendia grata
Prestarent urbs queque suis, et ibi faciebant
Discerni per iudicium phisiagnomicorum
Que quibus ars discenda foret, sic ars sua cuique
Assignabatur; sic iusse quilibet arti
Semper adherebat, et in una quemlibet esse
Perfectum sat erat, nec eam mutare licebat.
Tunc viguere artes perfecte cognita queque
Tunc erat et poterat perfecte posteritati
Tradi, scribendisque libris pars magna vacabat.

Inter vss. 710-711 *tab. om. sp. rel.* L V
714 ea S ministrant) propinant S
715 Utquam V habundant L
717 castis) capitis L
718 te quer. propter te L
720 Cum sit) Quando R
727 patribus) pluribus V
730 ibi) sibi A
732 ars (*prior*) *om.* L
734 proesse M ///esse M^2
735 erant V erat V^1

Tunc matheses, sole doctrine nomine digne,
Scitores habuere suos, tunc utilitatis
Queque quid afferret clarebat apud studiosos.
Qualiter in magno regnat mensura sciebant,
Qualiter in multo numerus, per que duo motus,
Demonstrabilis est; proportio consona circa
Hec tria versatur, que quatuor ulteriores
Ad disciplinas sunt introductio certa.
Utpote que claves portant ad eas reserandas
Declarantque vias causarum et principiorum.
Sed nunc vix modicum de qualibet arte moderni
Degustant et vix a limine quamque salutant,
Sed vacui veniunt ad eas vacuique recedunt.
   Philosophis, quoad hoc, prudentior est laicorum
Cura, ministerium ceptum unoquoque sequente.
Et sua connumerant inter proverbia, quod qui
Pluribus intendit numquam ditabitur inde.
Nonne magisterio deberent ergo vacare
Uni, maiores operas ubi reddere oportet
Quam multis in mechanicis? Sed philosophia
Exilium patitur et philopecunia regnat.
Restitit una tamen natarum philosophie,
Libera sed non est, quoniam captiva tenetur.
Iustitia vivente, solet florere pudicum
Rethorice studium, nunc ad pretoria prostat,
Quo rudis adveniens de rure vocatus ad urbem
Cogitur ad linguam proclamatoris emendam,
Ne sit in emenda, tamen emptam non habet, immo

739 mathes A es *sscpt.* A^2 methes L
741 Quodque M auferret A
studiosus L
742 magno) regno R
743 multos R
745 Hoc L versantur L
utiliores A R V
746 disciplinam M V
749 Et A
750 limite L
751 Sic L
755 nonquam A R
757 redderet V
761 quoniam) quia iam L
762 florere solet S
764 advenient S iure R

Nullus ei dampnosior adversarius illo est,
Quem reputat cause tutorem sive patronum.
O miserande, tuam plus diligit ille monetam
Quam causam, non curat enim quantum tibi constet,
Dummodo lucretur, nec te fore succubiturum
In causa metuit, proponit frivola multa.
Iuraque subvertens, causam protelat in annos.
Ac immortalem litem facit ut tua carpat,
Qui pacem pro dimidio sumptus habuisses.
Rustice, stulte, tibi multum est sua cara camena,
Equivoceque sibi multum est tua cara crumena;
Rustice, componas de componendo suum, ne
Queras consilium, quia non est pacis amicus.
Sic te prostituunt, olim iustissima virgo,
Que non debueras exponi taliter istis
Captivis, qui te captivant non modo captant.
Et quia non captant captivari meruissent.
O quam ferventer tales hodie sequerentur
Alkimiam, cuius fructus ditatio tanta.
Sed precellit in hoc aliis quod nullus in ipsa
Hactenus obtinuit, qui propter habere studeret,
Sic dedignatur cupidos largissima virgo.
Culpa tamen magna est magnatum, quos hodiernis
Temporibus populus in qualibet eligit urbe.
Quod si non fuerint populi concordia vota,
Assumuntur de populo quidam seniores
Qui populi vice preficiunt concorditer unum.
Vel si discordes sint inter se, quia pro se

768 tutore L sii A
770 quantum tibi) quam tum sibi V constet) custet M
772 proposuit V
774 lucem L
776 crumena R
777 camena M cumena M[1]
778 de) vel L et R
784 ferventes L
787 obtinuerit S studerent L
788 Sed A
789 quod L
791 nota L
792 Assument L de) in A
794 quia pro) quod L

Quilibet aspirat, nec se bene compatiuntur
Livor et ambitio, quamvis in utroque duorum
Esse simul possint, tandem discordia concors
Fit, quia concordant discorditer, et fit ab illis
Tertius electus, qui forte est peior utroque.
Sic indignorum creat indignatio quendam
Forte minus dignum, sic se collidere possunt
A se collisi, placeat cum neuter utrique
Sicque vides quod ubi corregnant ambitiosus
Livor et ambitio livens, non ambitioni
Succumbit livor sed inebriat ambitionem.
    Ille, putas, qui sic adipiscitur hoc anabatrum,
Cuius habet turpem promotio reproba causam,
Qui non pro meritis sed ut invidie satagatur
Preficitur, populo bene sit facturus et urbi?
Absit, sed similes factoribus et sibi ductus
Irrationali quadam simili ratione.
Factus ab indignis indignos promovet, et non
Attendit meritum patrie, nec pensat honorem,
Indigenas ut amet et honoret precipue quos
Exornant mores, ditat sapientia, dotat
Eloquium, sed eos sublimat, quos sibi iungit
Linea sanguinis aut contractus amicitiarum
Aut spes obsequii; sane promotor amici
Est laudandus, sed plerumque pecunia talem
Nectit amicitiam que nec meruisse videtur
Nomen amicitie, nisi detur ei per abusum.
Quodsi rem dominus tali committit amico,

797 possunt A consors A
concordia discors L
800 creat) erat L
803 quod *om.* L
804 Livos S
806 hos R hoc *om.* V
808 invidie) indie L
809 bene) unde V
810 similes) libros L liberos L^{1}
sibi *om.* S
811 Irracionabili L
815 ditat) dicat A
817 sanguis R
822 talem L

Furtum in re domini talis comittit amicus.
Ultio digna quidem, nec enim decreta deorum
Sic immutari possunt, quod sordida preda
Procedat vel sit laudabilis exitus eius.
Istos indignos indignus promovet iste
Indignisque suis postponit amabiliores,
Indignosque suos ditando preordinat illos,
Ordine perverso, qui palpant blandius ipsum.
Culpaque sic magna est magnatum quod perierunt
Artes, nam quoniam sublimant deteriores,
Desperant multi nec scire student sed habere.
  Sed quia de ludis fiebat sermo, quid illo
Pulchrius esse potest exercitio numerorum?
Quo divinantur numeri plerique per unum
Ignoti notum, sicut ludunt apud Indos,
Ludum dicentes algebre almucgrabaleque
Inter arithmeticos ludus pulcherrimus hic est.
Ludus arithmetice, praxis descriptio cuius
Plus caperet quam sufficiat totus liber iste.

OVIDII NASONIS PELIGNENSIS DE VETULA LIBER PRIMUS EXPLICIT. INCIPIT SECUNDUS IN QUO ASSIGNAT CAUSAS QUARE MUTAVERIT MODUM SUUM VIVENDI.

823 in re) viro L
826 excitus S extus V
828 proponit L
834 Sed) E L fiebant R
836 plerumque R unum) ipsum S
841 sufficiet L

Explicit Pelignensis *om.* M causas *om.* M suum *om.* M vivendi laudando semiviros scilicet eunuchos vel spadones improbandoque eosdem per septem liberales artes R *om. sp. rel. L.*

LIBER SECUNDUS

Talibus atque aliis, ludo excepto deciorum,
Sontibus a curis cum me relevare pararem,
Non tamen a cura care relevabar amice.
Solum felicem super omnes esse putabam
Qui quotiens vellet, cognoscere posset amicam.
Solum laudabam cui vim natura dedisset
Ut quotiens vellet, cognoscere posset amicam.
At nunc semiviros laudo, quibus has modo vires
Componentibus, a primis natura negavit.
Sive quibus, solitis thalamos violare pudicos
Deprensis in adulterio, genitalia membra
Iracunda manus sponsi violenter ademit;
Sive quibus ruptura siphac ita magnificari
Cepisset quod non prohiberet in oscea casum
Intestinorum, vel tantus ad ova veniret
Fluxus aque putris, stomacho mandate, quod ultra
Herniam patiens non posset onus tolerare.
Aut aliis causis ita computresceret ovum,
Ne fieri posset, quin crudeli medicina
Ova recidisset medici reprobabilis usus.
  Istos semiviros nunc laudo si licet istos
Dicere, nam dubium an sit semivir iste vel ista.

1 illis A
2 revelare L curarem R
3 revelabar L
8 modo) in R
9 primum A primis A[1st] primis annis nat. L
14 prohibetur L
16 puris A R quod ultra *om.* L
17 Hernia V
18 causis aliis M ovum) omni M
19 *vs. om.* R
20 reprobalis R
21 nunc) minime L
22 sit *om.* L *add.* L[1]

Ista quidem non est quia vulvam non habet, iste
Non est, quem talis defectus devirat, ergo
Sit neutrum; tamen hoc nichil ex animalibus umquam
Esse potest, nisi sit hic aut hec, si nichil horum
Est spado; iam non est animal, nec enim sine sexu
Esse potest animal; igitur non est animal, sed
Non est non vivens, ergo sit planta. Quis umquam
Vidit frustratam fructu vel semine plantam?
Quod plus est, quis eam vidit radice carentem?
Quod radice caret etiam frondescere nescit.
Sperma foret semen et fructus filius atque
Radix testiculi, frondes circumdata silva
Mento, qua quicumque caret suspectus habetur,
Ne sit castratus vel frigidus; est honor ergo
Barba viro, testis virtutis testiculorum,
Spermatis augmenti signum, fiducia fructus.
Econtra si testiculi desunt, generandi
Spes periit, quia sperma deest, barbaque caret vel
Est cariturus ea, folium quia defluet eius.
Eunuchus porro cum non sit femina, non vir,
Non animal, non planta, quid est? Non est sine vita.
Ergo quid esse potest? Nichil esse potest nisi monstrum.
Monstrum grammatice, quia declinabile cum sit
Cum casu, nullus sibi congruit articulorum.
Cum sibi preponi nullus per se queat, ut sit
Hic aut hec aut hoc, nec sit commune nec omne.
Nec modicum, miror, cum non habeat genitivum,
Cui sua congreget et quare placeat sibi tantum
Ablativus casus, displiceatque dativus.

25 hic L
26 hic *om.* V
29 fit V
31 qui R
39 Et L
40 periit) parit L
41 ea *om.* L foliumque defl. L
44 nichil) non L
45 declinabilem L
50 sibi placeat tantum R
51 displeat L

Et quia nullius fieri constructio partis
Hac cum parte potest, non est oratio que sit
Huic parti totum, sed pars est et sine toto,
Absque relativo sibi respondente relata.
  Ut non solius sit monstrum grammatice, sed
Inveniat dialectica quid miretur in ipso.
Non solum quod abest alterna relatio, sed quod
Sic est mirivocum, quod non cadit in genus et quod
Non cadit in speciem, cui non individuorum
Quicquam subicitur, cui carnem dividat et quod
Nec species speciosa genusve sibi generosum.
Degener immo genus specie sine dividit ipsum
A cunctis, quibus est cordi generatio, cuius
Et genus et species sunt monstra, magis quoque monstrum
Est individuum, digito monstrabile monstrum.
  Monstrum rethorice, qui iudicis officio si
Fungatur, crudelis erit, si rethoris utens
Themate truncato, causam non instruet, et sic
Non persuadebit, nec enim facundie grata
Eius, qui standi personam iudice coram
Non habet, esse potest, quocumque sit usa lepore,
Ac infecundi est omnis facundia pauper.
  Rursus apud matheses indemonstrabile monstrum,
Cui de subiecto concludi passio per se
Nulla potest, nec diffinitio ponitur eius

53 cum) in L
54 parte V
55 respondere A
57 *vs. om.* L mutetur R
58 Nolum quod V
59 mirificum L univocum *i. ras.* R
61 Quicquid R
62-63 *vss. confl.* (speciosa genus specie sine *etc.*) M *i.m.* ve sibi generosum degener immo genus M[1]
65 quoque) quia R
67 qui) quod V
68 utens) uteris R
69 Theumate trunctato L
75 concludendi L

In medio, quia deficit in medio neque novit
Credere supposito vel consentire petito
Et nulla dignitatis virtute iuvatur.
Et quia bis duo sunt ubi demonstratio regnat
Precipue: motus, numerus, mensura sonusque,
Invenies in eo, quo sit per singula monstrum.
Deficiente sibi numero pare, cum pare se non
Mensurare potest motumque perhorret amicum.
Quem si temptarit, tandem lira murmurat ani.
Monstrum nature rerum mutabiliumque
Cum sit principium motus, mutabilitatem
Tantam non novit nec tantam prodigiosam,
Sicut in eunuchum si mutatus fuerit vir,
Solo in quo natura potest vacuum reperire
Aut infinitum, primum propter spoliatos
Folles et reliquum propter fines mutilatos.
Monstrum nature, sed precipue quoad illam
Partem, que corpus regit humanum, quia sanus
Non est aut eger impossibilisque reduci
Ad medium, quia deficit in medio neque supplet
Defectum medicina suum, complexio cuius
Est sine complexu nec iam complexio dici
Digna, per antiphrasim nisi sit complexio dicta.
Est etiam monstrum morale, nisi quia mores
Dicendi non sunt, ubi tam perversa voluntas
Regnat tam nequam tamque invida, nam status eius
Tam vilis nequit invidie livore carere.
Nec bene velle potest, qui nequior est super omnes,
Nam mansuetudo morum est specialis alumpna.

77 neque neq. novit A neq. *exp.* A^2
79 miratur L
83 Def. pare numero sibi cum M
86 nat. sed rerum L
88 non *om.* L tantum A L M
90 in *om.* L
98 Et V
99 fit A
102 Reg. neque tam invidia nam L
103 nequid A

Et quia cum mulis id habent commune spadones,
Quod steriles sunt ambo, sic homines spado vincit
Nequitia, sicut animalia cetera mulus.
Et dicunt etiam quod naturaliter omnis
Est piger eunuchus et quod timidusque rapaxque,
Quod piger et timidus presumentes ideo, quod
Vultus rugosus vetuleque simillimus et vox
Exilis perhibent animum non esse virilem,
Quodque rapax per idem, quia qui timidusque pigerque
Sic in egestatem labi timet, ut latro fiat.
Porro rapax, timidus, nequam, piger, invidus, in se
Virtutem quod habere queat, non est leve credi.
Presertim, sicut scribunt ethici, quia virtus
Nulla potest, si non omnes habeantur, haberi,
Nec cum tot vitiis habitare vel unica posset.
Sane sunt aliqui, qui castos esse spadones
Propterea reputant, quod non sunt luxuriosi.
Sed non sunt, quoniam casti sunt qui patiuntur,
Nec deducuntur; qui vero non patiuntur,
Sunt insensibiles, multum a virtute remoti.
Quodsi de studiis, quod plus reputatur inesse,
Non insit, nec inest quod inesse minus reputatur.
   Amplius est methaphisicum monstrum spado, nam non
Solum impossibile est, quod perducatur ad actum,
Sed nec adest ipsi quecumque potentia, sive
Longinque precedens actum sive propinque.
Preterea subiectum non habet esse, vel in quo,
Vel de quo dici possit, nec taliter unum
Esse potest, quod multiplicatio surgat ab ipso.
   Postremo monstrum nichilominus est apud illos,

106 mulis) nullus L sapodes L
107 sterilis) subtilis L ambo sunt sic R vicit L
108 mulus) nullus L
111 piger) magis V
115 Sicque L Sic/// L?
119 habeantur omnes L
129 quod *om.* A *add.* A^{2}
131 Longum prec. L Longique M
134 surgit R
135 Preterea L

A quibus investigatur natura deorum;
Quos imitatores dicunt legis positive,
Qui ritus ac historias veterum venerantur.
Arbitrio gens queque suo diversa secuti.

Monstrum fastorum, quia si spado forte sacerdos
Efficiatur, erit sic iste vel ista sacerdos,
Ut dici possit ita neutrum sicut utrumque.
O quicumque deus, cuius templo dominatur
Tam deforme pecus cuiusque effeminat aras,
Si deus esse potest infortunatus, eorum
Infortunatissimus es, pro quo reperiri
Non potuit de tot modo milibus integer unus.
Rictus ei, non risus inest, et sacrificari
Deberet certe potius quam sacrificare.
Cui tamen ex superis holocaustum tale placeret?
Turpe pecus mutilum, quod porca fedius, hirco
Fetidius, nisi forte suas ut liberet aras,
Quas miserabiliter ementulus occupat iste,
Compensare velit clavuumque retundere clavo,
Turpe ministerium redimit dum victima turpis.

Monstrum fastorum, quem cum fas pontificare
Nusquam sit, minus esse potest ibi fas, ubi rerum
Summa gerendarum residet cum pontificatu,
Quod legisse potes in quodam codice, cuius
Omnia supponens, nichil omnino probat auctor.
Ac ipsum pro lege tenet gens credula quedam,
Exemplar quibus est vivendi vita priorum.
Estque fides sua quod sequitur primogenituram,

140 fatorum M
141 *vs. om.* R illa L
142 ita *om.* L neutrum) venturum V
147 integer *om.* L R
150 *vs. om.* S
151 mutilum) vitulum S
quod) que L quid R
152 Fetidus V nisi *om.* A *add.* A^1
154 que *om.* R
156 fatorum M
157 Non quam L Nunquam M
ubi) nisi L V verum V
158 redidet S
159 potest A potes A^1
160 actor M R S auctor S^2

Ius benedicendi; benedictus et a patre tali
Fit dominus fratrum, talesque vocant patriarchas.
Nec falluntur in hoc, veram probat esse fidem res.
Nam plerumque vident dominari fratribus illos,
Quos aliis prefert patrum benedictio, terre
Semper abundantes pinguedine roreque celi.
Imbenedicibilem lex innuit illa spadonem
Exemplo quodam famoso, nam spado cum sit
Voce Iacob, manibus, non est Esau, neque tutus
Comparere potest coram patre, ne pater eius
Colli nuda manu pertractet et, absque pilosis
Pellibus inveniens, putet illudi sibi velle.
Ac indignatus maledictum pro benedicto
Inducat, quoscumque cibos presentet eidem
Iratusque repellat eum, passique repulsam
Et desperantis facies ignara rubere
Palleat, et demum desit benedictio tantum
Exoptata, diu tanto conamine tamque
Ferventi desiderio quesita; licet non
Queratur pro se sed cecus amor dominandi
Concomitatur eam, quem qui sic acriter ambit,
Intendit prodesse parum multumque preesse.
   Heu si subiectos habeat, correctio quorum
Spectet ad ipsius examen, quam male lapsis
De pastoris erit provisum conditione!
De lapsu carnis dico, cuius quia motus
Hic spado non sentit, labentes despicit; unde
Tale nichil passus passis non compatietur.

164 et *om.* R
165 Sit V
167 viderit L
168 profert A R
172 Iacob////non est V est *om.* L
175 putet) et R
177 Indicat quosque L Inducat L^1 presentes A
179 rubore R
181 cognamine L R
184 quem *om.* V qui *om.* L
185 processe M preesse M^2
187 malle A lapsum A lapsis A^1
188 erat A R pervisum V
189 qui M quia M^2 que L
190 habentes A R labentes *om.* L

O utinam quia non attendit onus sed honorem
In prelatura numquam pertingat ad illam!
Quem tamen infauste Moyses si pontificaret,
Veste videretur Aaron vultuque Maria.
   Talia monstra modo laudo, quia vivere possunt
Femineoque carere thoro, quamvisque solerem
Felices solos coitu reputare potentes,
Felices solos reputo cessare coactos.
Venerit unde michi subito mutatio tanta,
Discite vos, quos ferre iugum fastidit amoris.
   Unus erat toto nature vultus in orbe.
Virginei floris decor et decus, unica sexus
Gloria feminei, que naturalibus et que
Gratuitis dotata bonis florebat, eique
Fortune bona non deerant, adeoque in unam
Tot bona personam concurrere non meminissem.
Tres credi poterant in ea certasse sorores.
Muneribus Natura potens et Gratia larga
Non expectatis meritis, Fortunaque nulli
Conformis, largis sed avara et prodiga parcis.
Quamvis detur in hac instantia virgine, cui se
Reddiderat preter solitum multo meliorem
Quam multis aliis, multis aliis meliori,
Largiflue sibi dans et opes et nobilitatem.
Cui Natura tamen dederat longe meliora
Corporis ac anima bona, scilicet hinc, quia nulla
Conferri poterat sibi moribus ingeniove.

193 prelativa R nonquam A R
194 Que V si) non M
196 possum S
197 thorum V solebam L
198 *vs. om.* V *add i.m.* V[1]
Inter vss. 201-202 *sp. rel. duarum linearum* M
205 *vs. om.* V
206 dederant R adeo *om.* L
207 concurre L
208 poterat L certare R
209 Munera L pocius A
211 amara L partis L
212 distantia A R cui se) caute V
213 solidum A solitum A[2]
216 deerat L
217 anime L huic R nullam L

Inde quod in toto prout equore clauditur orbe,
Non erat ulla sue similis prestantia forme,
Non erat ulla sue similis dulcedo loquele.
Quid quod in omnibus hiis addebat gratia tantum,
Quod faceret semetipsis meliora videri
Singula, iudicium iustum vincente favore.
Certius et quamvis oculorum iudicium sit,
Non tamen in lingua seu pectore sic favor ipse
Vincebat, sicut in forma non aliorsum
Sic apparebat victoria, forma moveret
Ipolitum, si non oculos sibi tollere vellet.
    Verum cur ad eam laudandam particulatim
Descendisse velim? Cur ad preconia cuique
Debita membrorum modo describenda laborem?
Omnis eis minor est descriptio; singula lustres,
Singula sunt meliora satis quam dicere possem.
Sed quem miminisse iuvat tot divitiarum
Formose dotis, modicum per singula libans,
Membra sigillatim discurro, singula mirans,
Ad que lustrator oculus permittitur ire.
Singula contendunt se vincere, cum tamen unum
Omnibus aspectum presto, simul omnia summa,
Pace reformata et sopita lite, quiescunt.
Sic sibi respondent alterno cuncta nitore.
    Silva capillorum supereminet atque rotundum
Circumplexa caput claro prefulgurat ostro,

220 *vs. om.* M *add. i.m.* M²
220-221 *ord. invers.* L
222 hiis *om.* R
226 sic) fit A R sit L M
227 aliorum L
228 victori V moneret L
229 si non si non oculos sibi A si) sed L
230 particulanti L
232 laborum L
233 eis) enim R
236 lustrans M *i.m.* libans M²
237 discurro) discreto L micans V
238 lustrabor L
241 lite *om.* L
244 Complexa A Complexata A² R charo V claro V² prefulgerat A prefulgurat A² ostro *i. ras.* R *erat* auro?

Fulgori cuius radians color invidet auri,
Sed postquam dominam nutrita diu gravat, illam
Colligit in torquem sibi quadam lege cohercens.
Hac a lege tamen remanent ad timpora quidam
Exempti brevitate sua, crispedine rara
Connexi, volitantque vago ludente reflexu.
Frons spatiosa parum convexa, manus deus ambas
In qua plananda posuit, non sufficiente
Alterutra manuum; candorem lilia cuius
Non vincunt, non equat ebur, non florida cinus.
Nigra supercilii sinuosaque linea, criste
Exigui declivis utrimque superiacet, inter
Vicinos quodam limato limite pacem
Concilians, dum iure suo concedit utrique
Uti, distinguens a fronte situs oculorum.
Inter utrumque tamen, ubi fronti continuatur
Nasus, tam naso quam fronte superciliisve,
Plus depressa, parum discriminat area quedam,
Nuda pilis, candore potens equare ligustra.
   Subsidet his regio ridens et leta, gemellos
Que speculatores fovet hospitio ciliorum,
Intus pupillam vario cingente nigellam
Exhilarat circumgirata rotatio vultum,
Occultans oculos circumstat ibi seriatim
Palpebra, ne ledat extrinseca causa superbos

245 colorum A um *exp.* A[?]
247 sibi) sub M
248 tamen) cum L tempora *M V* L
249 Exempli *A L* Exemplo R credine A crispedine A[1]
250 que) quia R refluxu L
251 spetiosa R
253 cuius) cinurum *ut vid.* R
254 *vs. om.* R eque L cimis M
255 sumosaque L linea) lilia R
257 quedam V lunato A
258 Consilians L iure dum L *ord. corr.* L[?] uterque L V
259 situs) finis V
261 tam) causa L
263 equale V
264 leta) lira V
265 Quod M
266 Inter M naris R vario R[1st] singente L vigillam V
267 multum A vultu L

Ac indignantes, et semisperia nutu
Claudit lascivo, qui munera spondet amoris
Pure, nec aut lacrimis oculorum ripa madescit.
Nasus in excessum nullum se transvehit, ut sit
Longus vel curtus, aquilus simusve nec ullam
Tractus in obliquum portendit proditionem.
Nec stillas cerebri naris cava pandit hiatu,
Nec libertatem negat halitui neque ricta
Passibiles auras tristi fetore minatur.
At modicum consurgit apex hinc inde genarum,
Punica malorum vincens fragmenta colore;
Lilia mixta rosis in eo certare putares.
Conficiunt etenim niveus roseusque colorem
Unum, sic tamen ut rubeus vincatur ab albo.
In quibus et quedam, domina ridente, creantur
Fossicule, tantum que mansuetudinis addunt
In leta facie, quod concessura videtur
Quicquid eam sibi conveniens persona rogaret.
Et modo cesaries modicas in seque retortas
Contegit auriculas, modo castigatur ab illis.
    Bucca brevis, sola brevitate notanda, nisi tunc
Cum ridet, tunc namque statum redit ad mediocrem.
Labra tument modicum, cerasorum invicta rubore
Collectorum, acri post imbrem sole secuto.

271-272 *vss. confl.* (lascivo oculorum ripa mad.) L
273 extensum M exessum (*sic*) *i.m.* M^1
274 cultus A
275 portendit M *sscpt.* vel pretendit M^2 perditionem R
276 cerebris S navis L
277 alicui A L M R V alitui S rica R ricca M S
278 curas L miratur L
279 Ac L apex *om.* L
280 vicens R putares A colorem A^1 R
281-282 *vss. om.* R *add. i.m.* R^2
282 Consistunt V
283 sic tamen) situm S albo) illo L V
284 redente L ridente L^1
285 Follicule L tantum) titulum V
286 lata L leta L^1
287 convenient S negaret V
289 modo) non R
291 reddit L
292 victa M iuncta R robore L

Que cum sint inversa parum, se velle parare
Seque offerre videntur ad oscula suscipienda.
Sed domina ridente loquenteve seve cibante,
Intus cuiusdam spectabilis ordo cathene
Clarior argento vivo se visibus offert.
Dispositis ibi dentibus in serieque locatis
Firmis, consertis, equalibus atque minutis.
Terminus inferior faciei, mobile mentum,
In collem ad collum collatum colliculumque
Ad labra se tollit, ad utrumque tamen moderate.
Collum tam planum quam plenum, non ibi nervi
Corda riget, non vena tumet, cuius cutis omni
Asperitate caret nec fedat eam maculosa
Menda, sed est nive candidior, nisi credulitatem
Frangat yperboleos laxata licentia tantam.
Blanda manus facilem se prebet ad omnia, cuius
Est digitus gracilis, plenus, tornatilis, equus,
Proque modo longus, vola lactea, lucidus unguis.
Cetera sunt preclusa michi, tegit omnia vestis.
Divinare tamen licet et per visa gradatim
Ad non visa venire, putando quod hec meliora
Sunt illis visis et quod captabiliora.
Sed coniectura cum sint michi cognita sola,
Sub quadam gaudent pertransiri brevitate.
Pectore compresso, surgente tumore gemello,
Ubera conicio duo parvula, dura, recurva,

294 cum) non M
295 Neque A
296 sii M sene L
297 cachene L
298 vilibus R visibus R[1]
300 equalibet L
301 Termino V Terminus V[1]
303 se *om.* V
304 plenum A planum A[1]
305 tumet cuius) tumeticus R
306 ne R
307 est) et M
309 facile L predet A cuius) cinus L
310 ornatilis V
311 modos L modo/ L?
312 pleclusa M regit R tegit R[1]
315 illis) vel V
314 petendo L
317 pertransire A
319 cognitio R

Ac si complexu se velle premi fateantur
Et complexuro se velle occurrere sponte.
Bracchia longa quidem subtilia, mollia, plena.
Desuper acclives humeri rectique retrorsum.
Corpus procerum, pingues habitudine lumbi,
In strophio graciles, clunes humiles satis ample.
Mobilitas crurum, curvato poplite, pesque
Tam brevis in medio, sinuosus, rectus in ante.
Pre cunctis perhibent partem pollere cupitam.
Et puto quod nullus cultus nullusque paratus
Aptior esset ei quam si sine vestibus esset.
O utinam nudam videam, si tangere nudam
Non est fas, saltemque semel, si non datur ultra!
Parva locutus sum, quia sufficientia verba
Non sunt ad tantam speciem, descriptio nulla
Notificare potest quantis, si vellet amari,
Deliciis quantisve iocis se redderet aptam.
   Hauserat hanc oculus cupidus meus invidiosam,
Et collaturo suggesserat omnia cordi.
Cor nimis audacter cepit sperare quod illam
Aut verbis aut muneribus convertere possem.
Et preter solitum cum verbis munera danda
Disposui, si non oblata prius valuissent
Verba, quibus totiens tot pectora sollicitaram.
Abdita paulatim scintillula crevit in ignem
Immensum, totas iam possessura medullas.

321 occuite A
323 acclives) ad clunes R ac dives V retrorsum) procerum L
324 procerum) retrorsum L
325 throphio A trophyo L trophio R S V
326 Nobilitas A R curvum A crurum *i.m.* A^{2} crurium S
327 Quam L
328 prohibent L pellere L
329 peto M nullos A nullus A^{1st}
331 videam nudam L S
337 mens invidiosa V
338 subiecerat M *exp. et* suggesserat M^{1st}
343 sollicitam A sollicitaram A^{2} sollicitarem L sollicitavi R
344 scitillula L R cintillula V

Sed locus et tempus non concurrere loquendi,
Presertim quia nimirum materque paterque
Excubiis multis et sollicitudine multa
Vallabant ipsam, ne subduci sibi posset
Blanditiis, si forte levem concederet aurem.
Quid facturus eram? Querenda fuit mediatrix,
Mutua verba loqui que posset utrique vicissim,
Et facunda foret et suspicione careret,
Ambos ut, nullo mirante, liceret adire.
  Talia cum vigili cura meditarer apud me
Totque revoluissem vetulas et sepe diuque
Singula librassem, lustrans urbem spatiosam,
Occurrit tandem quod erat paupercula quedam
Linguipotensque mee vicina sororis, apud quam
Sepe dabatur ei cibus intuitu pietatis.
Et fuerat quondam dilecte sedula nutrix.
Hanc ratus esse michi pre cunctis utiliorem,
Aggredior verbis, propono probabile thema.
Plurima promitto bene, si celaverit et si
Prodiderit, subiungo minas; rationibus illa
Se primum excusat, ventura pericula pandens.
"Me miseram" dicit, "rem si sciret pater eius
Quid factura forem? Cuius mortis genus aut quas
Exciperem penas? Etiam tu forte negares
Te iussisse michi nec subsidium michi ferres.
Obsecro per superos, ne sollicitaveris ultra
Me super hiis, in pace meam finire senectam
Me rogo permittas, magis eligo vivere tuta,

346 cucurrere R
349 Vallebant V
351 Quis A Quid *i.m.* A^2
352 que) qui V uterque L
355 apud me) a p'me R
357 speciosam R
358 erit A erat A^2 pauperrima M paupercula *i.m.* M^2
360 caritatis R
364 Premio L
365 sub iugo R
366 primo A M R pandes L
367 Se A R si rem L
370 Precepisse L
371 superbos L

Sufficiatque michi paupertas hec mea paucis,
Quos michi concedunt fatalia pensa, diebus,
Quam pro divitiis adeam cum sanguine Manes.
Esto quod evadam, magis eligo vivere tuta,
Quam metui tanto tua me promissio subdat."
  Tunc ego quanto plus reddebat difficilem se,
Tanto spem per eam vincendi concipiebam
Maiorem, tanto plus instandum fore ducens
Et monstrans quod res à patre sua sine culpa
Sciri non poterat, nec enim se proderet ipsam
Tam bona, tam prudens, tam circumspecta puella.
Attendi tandem quod eam promissa movere
Non poterant sine muneribus, tunc exuo morem,
Munera multiplico, satagens promittere plura.
Sic urgebat amor, sic ad mea fata trahebar.
Ergo dare insolito dandi modus abfuit omnis.
Do capram vini, do bladum, doque legumen,
Do perne partem, do peplum, do tunicam, do
Palliolum, do pellicium, do subareos, do
Tres species tele pro camisia facienda.
Quarum que melior collum tegitque lacertos,
Pectus habet mediam, sed renes deteriorem.
Pars datur peior parti que cuncta lucratur.
  Mox testata deos furiis se dovovet, optat
Dampna sibi, nisi vota fideliter exequeretur.

374-377 *vss. om.* M *add. i.m.* M^1
375 Quod A Quos A^{1st} fatalia fatalia pensa M
376 cum) *om.* A *add.* A^2 occidar R
Inter vss. 375-376 Et maxima quantum ad mediam parcharum lachesim L
377 eligo eligo vivere M
378 tauro V
380 vicendi L
382 suo R
383 ei se proderat L prodere A proderet A^1
384 circumscripta R
387 sagens A satagens A^1
393 pecies A M R pecias L
394 que melior A que est melior A^2 V
395 medium A mediam A^2
396 Pars peiorque datur parti A R *ord. corr.* A^2

Itque reditque frequens et narrat plurima, primo
Cum quanta fuerit cautela nacta frequenter
Horam oportunam, quotiensque retenta timore,
Qualiter intrarit nichilominus et modico post
Qualiter orsa loqui qualem pretendere causam
Norit, cur spatio tanto non vidit alumpnam,
Adque suum quo propositum descenderit ausu,
Qualibus attulerint etiam me laudibus ambe.
Addit preterea qualem sit passa repulsam,
Sed tamen urbane; sic me miserum modo terret,
Spem modo dat tenuem, quod siquando reprehendo
"Tu sic debueras aut sic dixisse", fidem dat
Quod sic dixisset, testesque deos vocat omnes
Quod non mentitur; quid credam nescio, credi
Cuncta necesse, tamen credo quia credere oportet.
Sic me deducit verbis per tempora multa.

Fine suo res queque patet, postquam vetularum
Mendacissima me totiens ambagibus actum,
Iam non ulterius poterat producere, quodam
Ingenio simulavit eam circumveniendam.
"O precare meus", dixit, "fiducia vite
Summa mee, spes subsidii, baculusque senecte,
Perpendi quod te super omnes diligat ista
Virgo, sed nulla id posset ratione fateri.
Quare fraude pia, sed me miseram, miseram me!

399 Idque A R
401 Tempus S optimam R oportunum S
402 intrarat V
403 orsa) causa L
405 Atque L descenderat V
406 Qualiter L R Qualibet M attulerant V
409 modo) vero V quod) quoque R quam si quandoque V
410 Tunc L
411 invocat V
412 credere L R credi R^{1}
413 necesse) vocem V quia) quid L
414 deludit V
415 queque res R res queque R^{1}
416 quotiens L ambag. ultra actum M ultraque *exp.* M$^{?}$
420 me V
421 diligit L S istarum R ista//R$^{?}$
423 me (*prior*) *om.* L

Decipienda michi est; faciam quod nocte notanda
Lota caput, comenda michi retinebitur extra
Maternos thalamos, cunctisque sopore sepultis,
In camera parva, que dextra est ingredienti,
Qua dormire solent ancille, ne pater eius
Rumpat, ea thalamos introgrediente, soporem,
Reclinare caput compellam; tuque paratus
Post nonam noctis, tenebris nondum tenuatis,
Advenies, reseraro fores et mersero lumen
Lampadis, ac tacite, paulatim cardine verso,
Sustentando quidem, ne perstrepat, ingredieris.
In lecto nudam invenies; tunc impiger esto.
Si semel obtineas frustrabere postea numquam."
   Credulus et cupidus condictam prestolor egre
Noctem, multa timens et mecum multa revolvens.
Ergo, die facto, quo nox erat illa futura,
Abluo me modicum, barbam pubemque recido,
Dansque brevi post meridiem mea membra sopori,
Preparor insompnem noctem ducturus, et inde
Me cibo sorbilibus, me musto poto recenti.
Hinc ne dormitem me libris apto legendis,
Providus ante tamen horologium moderandum
Duxi, quo veniens fieret michi certior hora.
   Que simul ac venit, candele suffoco lumen,
Incautus gradiens, impingor in ostia, frontem
Posti collido, fedatus sanguine fuso,

425 comanda R
429 Rupat V Rompat L ingrediente L
430 compellem A compellam A^2
431 tenebras V
432 Adveniens S emersero L
433 aut R at S
434 tamen quidem ne A tamen exp. $A^?$ perstrepet M ingredieris tu R
436 frustabile A R frustaber L
439 quos S quo/ S^1
440 recindo A M R
442 Preparatur L inde) indem V
443 potoque rec. L
445 moderatum L
446 Dixi V
447 simul ac) similata L
448 impinguor S V
449 fedato A R

Turbor et offendor, offensus precipito me
Perque gradus scale descendo non numeratos.
Tunc furiis me devoveo, furiis agitandum
Me reputo, nec enim nisi raro sola venire
Ista sinistra solent; superos tamen invoco frustra,
Multa vovens, favisse meis si sensero votis;
Vere non veniunt nisi raro sola sinistra.
Atria nam solitus servare rudis, neque voti
Conscius, in sero male clauserat ostia porte
Turbaratque seram; que singula pene furenti
Tam gravis auspicii fatalia signa fuerunt.
Iamque mei male compos eram, strepitusque cavendi
Cura michi deerat, confringo fores et apertas
Dimitto, furtis exponens quicquid habebam.
Exeo meque tot infortunia non revocabant.
Ad care procedo domum quam, vecte remoto,
Sentio, si tacite faciam, michi posse patere.
Incipio fieri letus, lateraliter intrans,
Explorante manu, cameram lectumque requiro.
    En humili strato quasi sompno pressa iacebat.
Quanta putas interna meas dulcedo medullas
Tunc demulceret? Quanto meus afficeretur
Tunc animus desiderio? Non est leve dictu.
Illico tollo moras, omnis dampnosa videtur
Quantumcumque brevis mora temporis, ocius ergo
Abicio vestes, sed et accleratio tanta
Impedit accelerare meum, mora nascitur inde,

450 Tubor V
454 superes V tamen) cum L
455 vovens) favens L
457 solitos L
461 strepitosque L
463 habebat V habebam V[1]
464 Exio V
465 qua L
466 tacite facite faciam A facite *exp.* A[2] facio L paterere S
467 lenis A lataliter A lateraliter A[2]
469 Ex L
470 puta R putas dulc. meas interna med. L
471 demulcerent R
474 Quantumque R brevi L
475 et *om.* A *add.* A[2]

Unde moram vitare volens sic accelerabam.
Abicio vestes subitoque preoccupo nudam,
Circumplexus eam, nec ei divertere quoquam
Iam licet, omnis ei motus est forma negata.
Virginis artari sic vult pudor et sibi parci,
Si non parcatur, reputat; cum virgine nostra
Sic decuisset agi, si presens ipsa fuisset.
A cupido Iove sic Semele decuisset adiri;
Ipsaque erat Beroe sic a Iove non adeunda.

Heu michi tanta meis regnans dulcedo medullis
Quam modicum mansit! Repperi contraria votis.
Vertitur in luctum cithare sonus inque stuporem
Deliciarum spes, moritur fax, ignis amoris.
Siquid erat quod epar, ventoso turbine misso,
Fecerat arrectum, subito languetque caditque.
Sopitur virtus, frigescunt omnia membra.
Credere quis posset quod virgo quatuor implens
Nuper olimpiades adeo cito consenuisset?
Numquam tam modico rosa marcuit; in nova formas
Corpora mutatas cecini, mirabiliorque
Non reperitur ibi mutatio quam fuit ista.
Scilicet ut fuerit tam parvo tempore talis
Taliter in talem vetulam mutata puella.

Heu quam dissimiles sunt virginis artibus artus!
Accusant vetulam membrorum turba senilis,
Collum nervosum, scapularum cuspis acuta,
Saxosum pectus, laxatum pellibus uber.
Non uber sed tam vacuum quam molle, velut sunt

478 preoccupacio L
480 formaque R
483 Si M S Sic M^1
484 cup. Sem. Iove si dec. L sic dec. Sem. S semel en V docuisset R
485 berce M veroe V perore L
486 medullus V
489 fas R
491 arretum R
494 Super A Nuper A^2 cum senuisset L
495 Non quam A R S forma V
500 difficiles M
502 accuit M
503 Exosam L lassatum A
504 vel sunt A velud sunt A^2

Burse pastorum, venter sulcatus aratro.
Arentes clunes macredine crudaque crura,
Inflatumque genu, vincens adamanta rigore,
Accusant vetulam membrorum marcida turba.
Concitus exsurgo, cepi firmare quod illam
Appeterem ferro, sed mens ad se revocavit
Virgineam famam, que scandala ne pateretur,
Continui, quamvis omnis spes eius habende
Iam discessisset; sic dextra quievit amorque
Extinctus vivum potuit superare dolorem.
Nec fuit hoc modicum quod desperatus amavi.
Immo probatio summa fuit quod dignus amari
Sum, qui sic possum iam desperatus amare.
Non tamen inveni que vellet amabilitati
Respondere mee, sed non ideo minus isti,
Quam non in culpa scieram, bonus esse volebam.
   Expers consilii vix vestimenta resumo.
Vestimenta resumo tamen, post meque recludo
Portam, tam tristis quam letus in ingrediendo.
Adque domum veniens vix atria claudere possum,
Vix cameram, sine luce meo me reddo cubili.
Flebilis evolvo michi que vindicta placeret,
Sed non invenio condignam; si moriatur,
Omnia pena levis quam momentanea finit
Mors; igitur vivat luitura diu scelus istud.
Sit mendica manum non inveniat miserantis.

505 Surse V ventus V
506 Arente L
507 vincere S vincens S^{2}
508 turba) membra M
509 Consitus L exurgo A M ecsurgo V
512 spes omnis M habunde L habendo *i. ras.* S
513 discessit A discessisset A^{2}
514 vivum) nimium R sperare L
515 amari R
516 *vs. om.* A R
517 iam) vel M
522 *vs. om.* L
523 in *om.* A L R
524 Atque L
528 finis M
530 mend. nomanum A no *exp.* $A^{?}$ manus L invenies A inveniat M S miserentis L

Estoque siquid ei dabitur, modicumque malumque.
Panem non comedat, nisi quem dederit putre granum;
Non carnes, nisi de vetula sue sive leprosas;
Non pisces, quos non denuntiet undique fetor;
Nec vinum gustet, quin sit vel pingue vel acre.
Tussiat eternum, iuncturas gutta fatiget,
Febriat absque crisi, sitis insatiabilis adsit.
Adsit frigus iners sed et intolerabilis estus.
(Si possint sint ambo simul saltemve vicissim).
Fletus ei sit continuus lacrimeque perhennes,
Singultus subiti, suspiria crebra frequenter.
Oscitet halitibus distenta rigoribus atque
Feteat eructatio, non emungere nares
Possit, in os sanies descendat tota corize.
Nec spuat hoc etiam sed glutiat evomitura.
Nec vesica vel anus contineat vel urinam
Vel stercus, sed continuo fluat ante retroque.
Nam post tale nefas mala tot non posset habere,
Quod michi sufficiens posset vindicta videri.
  Ecce superveniens luctum dolor innovat, ecce
Virgo datur tedis, longinquas nobilis illam
Ad partes sponsus transducit, erat locus ille
Ad quem nulla michi veniendi causa dabatur.
Necdum compereram sibi si mea sollicitudo
Tam mordax innotuerat, nec iam michi tempus
Investigandi, tot erant hiis tedia tedis.
O quicumque meam tecum traducis amicam,

535 agre L S
536 iunctura L
537 Febat A Febriat A^1
538 iners) meis L sed *om.* A *add.* A^1 tolerabilis A
539 saltemve) salitur (*ut vid.*) S
542 Obcitet L alicibus A M S allicibus L allitibus V
543 nates L
544 descendit A in os) mox L corice L corive M ze M^2
545 sed glut. evom.) quin totum transgluciatur S
546 continuat A ves. sua vel cont. M
547 anteque S
548 habere *om.* M *add.* M^2
552 traducitur V
554 compererem L
556 tedia) remedia R
557 transducis M

De thorace meo michi cor traxisse videris.
Sed prohibere patrem non possum, quin, ubi malit,
Sit iungenda, mea cum non intersit aperte.
Pre cunctis etenim secreto pertinet ad me,
Cum iungi nequeat, quin me disiungat in ipso.
  At vero postquam viginti circiter annos
Cum sponso fuerat partuque effeta frequenti,
Et sua iam facies dispendia parturiendi
Senserat, ecce diem supremum claudere sponsum
Fata iubent, placuit, primogenito remanente,
Et pro dote sua, procuratore relicto,
Ad patrios remeare Lares; occurritur illi
Omnibus a notis consanguineis et amicis.
Preveniens alios occurro longius illi,
Et brevibus verbis ex ordine singula pando.
Subridens dixit, "memini certe satis horum,
Excepto quod anum te subposuisse putabam."
Me testante deos quod anum non subposuissem,
"Sed quid" ait "meminisse iuvat modo talia? Numquid
Iam sumus ambo senes quasi nec complexibus apti?"
Tunc instare volens, multis venientibus illi
Congavisuris, vetor addere que decuisset.
  Quodam mane meos me forte revolvere libros
Contigit, adque locum veniens ubi dicitur illud:
Precipue si flore caret et cetera, risi,
Perque fenestrellam vidi dominam venientem.

559 possunt V possum V^1 ubi) nisi L
560 mecum L meta S
562 nequeant L disiungar S designat V
563 Ad L
564 effecta L M R S
565 parturienda L parturiendi $L^?$ percutiendi R
566 sponsum) posset R
571 illis L
573 meminit M S
575 annum M
576 ait) at S Non quid A M R
578 nolens L mitis R multis R^{1st}
579 Congravisuris R Congavisurus V vereor L
580 mane *om.* R
581 atque L modo R illud R^{1st}
582 fore S flores S^1
583 fenestellam R V

A fortunatis prognostica multa videntur.
Preteritura meas erat edes septaque Solis,
Monte Palatino leva de parte relicto,
Tendebat, lauros tripodumque oracula visens.
Occurri, satagens offerre domestica, siquid
Esset ibi placidum, vel si divertere vellet
Sub tectum nostrum, modica recreanda quiete,
Subiunxit "non est modo tempus multa loquendi,
Sed mediatricem sum provisura fidelem
Ad te mittendam, cum se dabit inde facultas."
Paulo post ad me facunda pedisseca quedam
Mittitur et secum pretiosa iocalia defert,
Aurea cum gemmis miro fabrefacta paratu.
"Hec" inquit "domine sunt illius, suus ad quam
Procurator heri pro nummis misit habendis.
Sed quia tanta domi numerata pecunia non est,
Ad mercatores presentia pignora mittit.
Ast michi comperte quod te non oderit, istac
In mentem venit divertere, scire sed illam
Nollem quod per te venissem neve putares
Quod te diligeret propter tua, sed modo sano
Credas consilio; laudo quod te penes ulli
Si modo sunt nummi, retinere iocalia cures,
Et sibi mutuo des; fingam quod me repedantem
Videris a mensis et quod mensas adeundi
Quesieris causam, qua comperta, voluisti
Sic sibi succurri; sic cor furaberis eius
Pro certoque tene quod sit tibi grata futura."

590 nostra L
591 Subiungit M
592 sum) sive V provisura R pervisura R^{1}
594 fecunda A quedam) venit L
596 fabrecata L
597 inquid A quem L
601 At M R comperto L istas R istac R^{1}
603 pro te M
606 Si sunt denarii L S
607 Et si mutuo R
608 a *om.* V
609 comperta *om.* L
611 tibi *om.* L

Erubui si non facerem loculosque sigillo
Signavi plenos, retinere iocalia nolens.
Sic ubi quinque dies iam transivisse notassem,
Nec de parte sua rediisset nuntius ad me,
"Esse potest", dixi, "cum sit res invidiosa
Nummi, quod nummos non dixerit hec habuisse
Sic a me, quia sepe locus committere furtum
Suggerit, et vere locus est occasio furti.
Quod si commisit ne deprendatur in illo,
Dissuadebit ei mecum ne quando loquatur,
Ne queram si salva pecunia venit ad ipsam.
Quod si quesiero, quid erit? Si deneget illa,
Non habeo testes nec erant testes adhibendi.
Debueram potius sua pignora detinuisse.
Tunc nichil excusasset eam, quin fassa fuisset,
Cui dimisisset tot pignora, que, nisi nummis
Acceptis, non debuerat dimittere cuiquam.
Sed volui domine mea sic exponere large
Tam specie quam re, quod me censeret amandum.
O si peniteat quod ab initio michi tantum
Dura fuit, si peniteat, michi sufficit, immo
Ultio nulla, nisi talis, delectat amantes!"
Talia dicenti mecum se questio gratis
Offert solvendam; venit ecce pedisseca ridens
"O felix", dixit, "tua te precara salutat,
Quodque tuum factum sit commendabile dicit
Plusque modus facto, grates tibi grata rependit.

614 quin A qui ne A^2 travisse L
616 sint A
618 Quia V Sic V^{1st} locus) letus e *i. corr.* L
619 Suggeret V Suggerit V^1
620 deprehenditur M
621 ne) ve R
622 silva A R illam L
623 ista L
625 retinuisse A
626 ea V falsa A L V
627 Cum A R pignor A pignora A^2
629 domine *om.* R
630 senserat A senseret A^1 senceret V
632 si) non M
635 solicendam L
636 preclara L te precl.) deprecara V

Utque scias quod te propter tua nolit habere,
Sed tua propter te, refero sua pignora mecum.
Optio vult tua sit, an sint mansura penes te,
Vel tecum referas veniens ipsa potiturus.
Quam cito nam poterit, pro facto credita reddet
Proque modo facti vult reddere nobile fenus
Corporis optati, fenus iuvat istud amantes.
Tale decet nec tale potest exactio dici.
Hoc sero venies sed tarde, ne modo quartus
Addatur testis, quartum non vult adhiberi.
Nec possunt soli duo, si non tertius adsit;
Unica sufficiam vobis servire duobus.
Te sibi seque tibi manus est hec una datura."
Hiis dictis abit, invito michi pignora tradens.
In sero venio mecumque iocalia porto.
Nec retinere volo, quia cum fuerint data, credam
Extunc semper ei, nam que reperitur in uno
Verax, credibilem se quantum ad plurima reddit,
Et nisi rupta fides sit per mendacia, durat.
Non quia non multi sint qui modicum bene reddunt,
Ut maiora sibi credantur, sed secus est hic,
Namque datum semel hoc multis preponderat unum.
Advenio servatque fores ancilla parata.
Mox introducit, mox lectum mittit in ipsum
Et quia me fallax alias deceperat, ipsam

639 Atque A
640 te *om.* L
641 sit *om.* V sint *om.* L sit M mensura R penes) prope R
642 Vult tecum M
643 nam) non R
647 tardens modo L
649 Non V
651 hec *om.* A *add.* A^{2} manus hec est una duobus L
652 abiit invicto R
653 mecum L mecum et iocalia portans R
654 fuerit A S dato L
655 nam *om.* A. *add.* A^{1}
656 credibile L
659 cedantur A
660 hic R dat. est sem. hec aliis prep. L
662 introduxit M
663 me *om.* L illam L

Attrecto manibus, respondent sufficienter
Singula; frons, sedes oculi, nasus, labra, mentum.
Sentio ridentem, ruo totus in oscula. Quid plus?
Nudus suscipior cum mansuetudine multa;
Totus in antiqui delector amoris odore.
Quod fuerat meminisse iuvat, quantique fuisset
Integra fracta docet; numquam matrona totennis,
Precipue post tot partus, fuit aptior ulla.
Nullaque munda magis fuit aut melioris odoris.
Quod superest taceo, satis est dixisse quod unum
Venimus in lectum, quod uterque sategit utrique,
Qui cum pace receptus eram, cum pace recessi.
 Ecce meis in visceribus nova rixa creatur:
Lis gravis, ira furens, odium mortale, perhennis
Rancor, inhumanus strepitus, congressio dura,
Questio difficilis, quam nulla solutio sedat.
Cum recolo tacitus trutinanteque mente revolvo,
Quid fortuna michi dedit et quid casus ademit,
Evehor huc illuc fluitans, hinc gaudeo multum,
Quod super optato tam longo tempore vici.
Inde memor rursum quam tarde vicero tristor,
Quod nullo reditura modo sit fracta senectus.
Auget letitiam desiderium diuturnum;
Auget tristitam pigra desperatio, verum
Ipsam letitiam nec desperatio tollit,
Nec desiderium valet evacuare dolorem.
Adiuto consorte suo constanter utroque,
Et tamen inter se non possunt pacificari.

664 Contracto L
665 labra mentum) labracum R
670 facta L M tot annis L M
672 munda) nuda L fuit magis aut A R
673 est *om.* R
674 uterque) utrique L
676 creantur L
679 Questo L cedat L
681 Quis M
682 He vehor R
683 optacio V vixi L R
684 vixero L R
685 nulla L nullo L^1
690 conforte S consorte S^1

Que si concurrant, neutrum neutro superatur,
Nec, si librentur, nutum facit ipsa statera.
Quis doceat domine grates sic solvere quod nec
Ingratus videar vel solvere largius equo?
Hec est summa quidem, quod grates debeo mixtas:
Nec bona nec mala sint sibi longa sed abbrevientur;
Si mala sint, placeant quo si bona, displiceant quo
Non sic tristetur quod sit penitus sine risu,
Nec sic letetur quod sit penitus sine fletu.
Si sibi fiat honor, macula sine gloria non sit;
Si vituperium, velox oblivio tollat.
Si sit ei dampnum, pro parte tamen relevetur;
Si sit ei lucrum, pro parteque dampnificetur;
Si quando metuat, solacia concomitentur;
Si sit consolata, metu non sit caritura.
Sed semper morbo careat, satis est sibi morbus
Pessimus, irretinebiliter ruitura senectus.
Permixtas grates sic omnis amica meretur,
Que, nisi fiat anus, se non concedit amico,
Et mea non habeat melius vel peius eisdem,
Si sua culpa fuit. Sua culpa fuisse videtur,
Cum memorem facti vetule se confiteatur.
Nam facti vetule nisi conscia primo fuisset,
Non se post eius memorem confessa fuisset.
Nec tamen omnis anus est talibus annumeranda.
Semper erit iuvenis michi, quam sic inveteravi.
Hec autem mecum quia non fuit inveterata

692 neutroque L superatur) gratiatur V
693 librentur) libre R nudum M ista L
694 sic) *om.* A. *add.* A^{2} nec) vel R
695 An gratus A
696 miscas L
697 Nec mala nec bona A S
698 quoque) que A L M quod R
700 letur V flere S
705 metuit L
710 nisi) quam L concederit S conced//it S?
711 ut A vel A^{2} eidem R
715 *vs. om.* V

Displicet atque placet; placet obtinuisse, sed illi
Cui semper fuerit tam cara iuvencula, quod non
Arrigit ad vetulam, non est leve continuare.
Attendas vetulam mecum non inveteratam.
Nam iuvenes michi semper erunt quas inveteravi,
Nec minus annosam sum quesiturus, eo quod
Plus timeo ne deterior foret illa priore,
Quam sperem melius facturam, precipue cum
Nunc quam primo minus presumeret esse potentem,
Et dici posset "vetulus iam desipit iste."

OVIDIUS NASONIS PELIGNENSIS DE VETULA LIBER SECUNDUS EXPLICIT ET INCIPIT TERTIUS IN QUO DESCRIBIT QUALITER VICTURUS EST DERELICTO AMORE.

719 Dispilet A Dispilcet A[1]
720 fuerit semper L
721 lege S
722 Accendans vetula L
724 nimis R minus R[1]
725 spero L
728 iam *om.* R posset iam vet. R[1]

Explicit Ovidii N P tertius incipit in quo assignat ad quid mutaverit modum suum vivendi M in quo determinat qualiter victurus sit derelicto amore nobilibus scientiarum exercitiis vacaturus R tertius Ovidii de Vetula V *Om. sp. rel.* L

LIBER TERTIUS

Iste sunt cause propter quas amodo nolo
Vivere sicut eram solitus, nec subdere collum
Plus intendo iugo nervos carpentis amoris.
Sed quoniam non usque caret matura senectus
Insidiis, et adhunc temptatio plurima restat,
Quid faciam? Repetamne iocos quibus ante vacabam?
Delicias, quibus utebar, iuvenilibus annis?
Non repetam, quia tunc etiam non me relevabant
A care cura, nec eis oblivio cure
Talis inest, desiderium potius revocarent
Et dici potest, "vetulus iam desipit iste".
Sed scio quid faciam; studio complectar anhelo
Lucem, quam mecum dixi prius esse reclusam,
Lucem doctrine, que rerum sedula, causas
Rimatur, sublimis apex in philosophia.
Lucem doctrine, que cum sit celica, terras
Non dedignatur, sed in exilio peregrinat
Isto nobiscum, solacia vera ministrans.
Adiciamque iocos dociles, mathesisque sequaces,
Sumptibus exiguis aliquatenus edificabo,
Concernens ad materiam, geometrica quedam

1 amodo) vivere L volo A L
2 Vivere) A modo L
4 natura L
5 et) nec L testat L
6 Repetemne R
8 repetem R repetam R^1 tunc *om.* A *add. i.m.* A^2 revelabunt F revelabant F^1 relevabunt L
9 cure) care L V ne R
10 inest) ei L est V renovarent A relevarent M *i.m.* revocarent M^2
11 iam vetulus R decipit F desipit F^2 ipse V
12 complector L
15 ape L
16 terras celica A *ord. corr.* A^2
18 Esto F
21 Concedens L

Sic abstracta quidem, quod non sine materia sint.
Algebreque memor, qui ludus arithmeticorum,
Admittam ludum qui rithmimachia vocatur,
Inveniam si discipulos, quia non nisi pauci
Sunt hodie, mathesim qui censuerint imitandam.
De cantu capiam partem quam musica scribit
Adque creatoris laudem mea cantica vertam.
Ascendam in celum, si demonstratio pennas
Annuat, et cursus astrorum verificabo,
Instrumenta levans et scribam posteritati,
Qualiter inveni loca singula tempore certo,
Ut conferre queant sicut fecere priores.
Inde creatorem per res intendo creatas
Venari, et demum per rerum querere causas
Causam, intellectu cum transcendente, supremam
Sciturus per eas, super omnia cui reverendum.
Cui me devoveam, perfecto corde, diesque
Consumpturus in hiis, quos nutu cuncta moventis
Significatores, velut instrumenta, dederunt
Per que prima quidem regit omnia causa, prout vult.
De quibus in maiore meo licet inveniatur
Libro, quod dixi Platonica verba secutus:
Neu regio foret ulla suis animalibus orba,
Astra tenent celeste solum formeque deorum.
Non tamen hic nisi quod certum est volo dicere; quare
Diffinire necessarium non est modo, cum non
Constet utrum vivant celestia corpora necne,
Affirmare quod est temerum incertumque negare.

22 quidam F
26 sensuerint F V imitandi L
29 si) sed V
30 versificabo L
31 levens et scribens L
34 creatore R per res) partes A R
37 omnia *om.* F
38 defoveam L
39 cuncta) cura R
40 Singnificatorem F
42 maiori F maiore F^{2}
44 Ne L Non V
46 tamen *om.* A. *add.* A^{1} quod) quid R nolo R
48 revivant S nec non A R
49 tenerum M V

Sed quocumque modo sint, certa indagine constat
Quod quamvis diversus eis sit motus, eantque
Nunc celeri motu nunc tardo nunc retrocedant,
Et nunc directe, nunc aut septentrio sursum
Efferat aut retrahat, pars meridiana deorsum,
Nunc grandem parvamve putes diametron habere.
Compositus tamen est diversus motus eorum
Motibus ex equalibus orbicularibus in se,
Et numeris certis et certa lege moventur.
Hoc etiam constat quod mundi motus obedit
Hic elementaris, sicut longus docet usus.
Motibus ipsorum nec contradicere possunt,
Qui, quecumque minus noverunt, despiciunt et
Dentibus invidie presumunt dilaniare.
Prima per ipsa quidem regit omnia causa, prout vult,
Organa sunt primi, sunt instrumenta supremi.
Cuius amicitias hic, si michi comparo, nulli
Post mortem teneor obnoxius esse deorum.
    Quicquid enim teneat de diis sententia prisca,
Unicus est deus et dominus cui dii quoque parent.
Salva sit ipsorum patientia salvaque si non
Esse potest, nisi diffitear quod sentio, saltem
Non dedignentur, cum sint rationis amici,
Si rationibus experiar, si discutiam quid
Credi conveniat super agnitione deorum,
Utrum sint plures vel forte sit unus eorum

51 eis *om.* F sic M
54-55 *ord. inv.* V *i.m. ord. corr.* V[1?]
54 deorsum) retrorsum M
57 qualibus L
58 Et liquides numeris certis *etc.* L
59 motus) totus A mondus totus R
60 elementatis L M V
62 quicumque A F L quecumque A[1]
64 ipsam R causa *om.* F
66 michi) in V
67 Nulli post R
68 hiis F
69 parant L
70 si) sit V
71 deficiar L
72 dedignantur L qui sunt R
74 *vs. om.* F
75 unus sit F *ord. corr.* F[2]

Qui dii dicuntur, pater et deitatis origo.
Quod si sic, iam sunt virtutes particulares,
Et non dii; nisi grammatices accommodet usus
Hoc nomen, deus, ad virtutes significandas
Omnes, quod potius deberet abusio dici.
Tunc idiomalis hec dici questio posset,
Que modici pretii reputatur apud sapientes.
Ac si non licet os in celum ponere, certe
Non possum cogi quin credam quod michi dictat
Mens, que de celo michi credita dicitur esse;
Ergo loqui liceat de primo principio, quod
Sic est principium quod non est principiatum,
Et queratur utrum sint plures principiantes,
Exempli causa, sicut quidam posuerunt,
Ut bona principiet alter, reliquus mala, vel sit
Unicus amborum, diversimode licet, auctor.
Quocirca dico quod causa sui nichil esse
Principiumve potest, quin omnipotens etiam sit.
Nec decet esse deum, divinum dummodo nomen
Restringatur ad id quod non est principiatum,
Sicut predixi. Quid enim iuvat esse deum si
Non est omnipotens? Deitasque quid addit eidem,
Omnipotentia si circumscribatur ab ipso?
At verum nichil est adeo proprium deitati
Sicut posse, nec id dignum est deitate, nisi sit
Perfectum; quare si non est omnipotens quis,
Nec deus esse potest, sequiturque quod omnipotentes

78 gramaticos V
83 At M
84 credat R
86 quod) quo quod R
88 querantur S queratur S^1
90 principiat S
91 actor L
92 quo cusa L
93 omnipotens) tempus R
94 Ne F Non M
95 id *om.* A *add.* A^1 principatum V principatium V^1
97 Omnipotens non sit L
que *om.* R
98 si qui cum scribatur L
99 Ad A^2 F M adeo quod prop. R
102 Non M que *om.* L

Si non esse duo possint, nec dii duo possunt.
Dii quoque si plures, et plures omnipotentes.
Arguo sic igitur: Duo si sunt omnipotentes
Ac per id equales, aut hic dependet ab illo
Aut non; nam si sic, bina omnipotentia non est.
Si non, istius poterit contrarius esse
Ille voluntati, sua si velit impediendo
Facta, vel illius econtra forsitan iste.
Nam si non possit, iam non est omnipotens is;
Si vero possit, alius non omnipotens est.
Sic igitur rebus independentibus a se,
Omnipotentatus non posset inesse duabus.
Quare nec deitas; tantum est igitur deus unus,
Strenuus, excelsus, super omnia glorificandus.
Hic deus est virtus quedam, que transilit omnem
Virtutem, virtus super omnem simplicitatem
Simplex, a nostra sic cognitione remota
Simplicitate sua, quod per se scibilis ipsam
Non est a nobis, non quod de parte sua sit
Defectus, sed nos hebetes sumus ad capiendum
Esse rei vires nostras ita transgredientis.
Sed nec habet virtus hec, cum sit prima, prius se
Per quod in ipsius veniatur cognitionem;
Quare non nisi per sua posteriora scietur,
Que sunt res omnes quas mundus continet in se,
Nam mundum deus ex nichilo mundanaque fecit

103 possint) possunt A F R
104 Hii L
105 sint F
107 si *om.* A *add.* A^1
109 incipiendo L
110 istius M
111 iam) inde V is *om.* A *add.* A^1
vss. 111-112 *confl.* F R (possit alius *etc.*)
114 potest R duobus S
117 transtulit M
118 Veritatem L virtus) nutus M triplicitatem L
119 sit condicione L
120 se scibilis) sensibilis L ipso L
121 fit V
124 virtus habet F hec. *om.* F
125 in) ad L cognitioque V cognitionem V^{1st}
128 mundataque M

Solus ab eterno; sed cum non posset apud se
Tanta pati bonitas, etiam quemcumque colorem
Invidie, voluit quibus esset largus, habere.
Et primo duo materiam lucemque creavit,
Ut, per quod fieret hic mundus haberet, et ex quo.
Sed qui materiam vult informem, meditari
Cogitur ut, sicut punctum, meditetur eandem.
Nam quantum nichil esse potest et fine carere,
Finitumque quod est et formam constat habere.
  Ergo materie, que se reddit meditanti
Sub puncti specie, lux illa supervenit, et cum
Sit manifestatrix, ad formam suscipiendam
Aptat eam, quoniam per totum digerit illam,
Igniculisque fovens partem diffundit in omnem,
Motibus oppositis, faciens diametron ubique,
Cumque sit ambarum finita potentia, standi
Terminus est positus, quo sistitur utraque virtus.
Scilicet extendens extensaque sic, ut in illis
Plus nec agente potest patiens nec agens patiente.
Commensurat eas eadem proportio sicque
Crementi motu cessante, reflectitur in se,
Hac fit spera via, tali distincta tenore,
Ut pars interior sit dempsior, apta quieti,
In qua plus de materia, de luce minus sit.
Pars sit et exterior subtilis et apta moveri,
In qua plus de luce, minus de materia sit.

130 cololorem S
131 noluit L esse L
132 mat. duo L *ord. corr.* L^{1}
133 hic *om.* R S
134 velut L
135 punctis L puncti $L^{?}$ punctus R
139 Suo R Sub R^{1st}
142 Igniculusque A L M R
143 ubique) verbique A ubi R ubique R^{1} utrique V
146 extendens) extenant S
147 potest) post A
148 Cum mensurat A
149 Trementi *Birkenmajer*
150 Hac se sit A se *exp.* $A^{?}$ fiat V via *om.* V
152 plus de luce de materia minus L
153 et (*prior*) *om.* S

Hec pars humanam speciem regit, illaque pascit.

Porro pars spere medium que possidet et que
Dempsior est alia, per quatuor est elementa
Sic connexa, sibi divisa, quod alterutrorum
Vires oppositas medium commune maritat.
Inque novem celos extrinseca dividitur pars,
Quorum forma, quasi tunicatim, contineat se.
In quorum septem propiori a parte planete
Septem discurrunt, diversis motibus acti.
Horum sunt superi, Saturnus, Iupiter, et Mars,
Sol medius, sub Sole Venus, precepsque sub illa
Mercurius, terreque propinquior infima Luna.
Stellas octavum celum fixas habet, uno
Motu contentas, ut in hiis contrarietas sit
Tanta quod unicus est, ubi corpora plurima, motus
Et rursum motus, ubi corpora singula, multi.

At nonum celum, quantum ad nos, ordine primum,
Quantum ad naturam, dictum quoque mobile primum,
Nullum corpus habet, sed lux diffusa per ipsum.
Quanto materie radix removetur ab ipso,
Tanto concerni potuit minus, ut fieret lux
Illic visibilis, nec enim nisi materiatum
Visibus offert se. Motu lux ista diurno
Celum sic a materie radice remotum
Tam rapida virtute movet tantoque vigore
Circumvolvit, ut et celos secum trahat omnes,

155 humana V
158 diversa R
161 cont. in se F
162 propiora parte A propiori parte A^2 propriore R propriori R^{1ts}
163 div. mot. acti) Saturnus Iuppiter et Mars L diversas V moribus S apti R
165 princeps L R
168 contendas V
169 Tanta quod) Quorum V ubi) nisi L
170 Sunt rursus mot. L cursum R
171 Et F novum V
173 lex A lux A^2 *vs. om.* R
174 Quarto M radice R
176 Lux invisibilis nec F
177 diurna V
179 rapidam L tutoque L
180 *vs. om.* V

In se contentos secum circumrotet omnes
Nocte dieque semel et mundanum super axem.
Axis mundanus est linea, que quia transit
Per centrum mundi inque polo finitur utroque,
Maior ea nulla est immotaque sola quiescit.
Sola quiescit sed non est longissima sola,
Exclusa maiore, potest equalis haberi.
Circulus omnis enim qui dividit in duo speram
Maximus est, pariterque suus longissimus axis.
Quorum qui supra mundi componitur axem,
Cuius describit motum revolutio primum,
Dicitur equator et dicitur equidialis.
Sed quia sunt multi motus preter memoratum
Hiis octo celis, unus tamen est generalis
Et super axem, qui mundi declinat ab axe,
Per quintam decimam modico minus et suus orbis
Non est equatore minor, qui dicitur orbis
Signorum vel zodiacus, quantumque recedit,
Axis ab axe suus declinat et orbis ab orbe,
Celorumque sub hoc motus describitur octo.
   Sed quia celos hos motus vehementia primi
Vincit nec possunt ipsum usque sequi, reputatur
Ipsorum motus primo contrarius esse.
Non tamen est, sed id incurvatio visibus offert
Vincunturque magis, quanto magis inde remoti,
Et qui tardior est, velocior esse videtur.
Nam lux illa movens virtus est, immediate

181 *vs. om.* R secum *om.* A *add. i.m.* A^2 omnes) axem L
182 semel mund. circumeat axem L Mundano tamen alius suus Mundano tamen alius suus axis abe axe S vss. 186-200 *om.* S
189 suis L
191 primum) motum M
192 equatuor L equatorum et V dicitur *om.* L
196 modicus V orbe M
197 equatuore L
199 declinat *om.* L
200 Celorum qui super hoc L describuntur R
202 nec) ne R
204 incurtatio A L R incultatio R^1

A primo motore fluens in mobile primum.
Et movet ipsum sic, ut motor non moveatur
Sed manet immotus, licet illa necesse moveri
Sit, quecumque movent contactu, non tamen illa
Que virtute movent; idcirco necesse moveri.
  Amplius hoc celum sic hac virtute movetur,
Ut numquam totum mutare locum queat in se.
Sed sole partes eius mutant loca quando
Circumvolvuntur; quia motus is orbicularis
Cui nichil oppositum, semper durabilis, ergo
Sese continuans in partem semper eandem.
Et circa medium, quia nec leve nec grave celum est,
Ast elementorum levitas ubi vel gravitas est,
Est motus rectus, quia quod gravitate movetur,
Ad medium trahitur, et quod levitate, recedit
A medio; quorum sunt oppositi sibi motus
Ad loca tendentes diversa, quibus sibi nactis
Quodlibet in propria regione quiescit eorum;
Inde nec extrahitur nisi per motum violentum.
  He mundi partes, celestis scilicet illa,
Hec elementaris, mundo servire minori
Non dedignantur; mundus minor est homo, cuius
E celo vita est et victus ab hiis elementis.
Sic dictus quia sit mundi maioris ad instar
Factus, converso licet ordine, nam quod in illo
Grossius est iacet in medio, subtilius extra.

208 in) et L *om.* S
211 queque L
213 si A L sic A^2
214 tot. loc. mut. L
215 quando circumvolvuntur V
216 Circumvolvuntur) Quia V
217 Qui V
218 De se V
219 Est V nec (*prior*) et R grave nec leve S
221 Et A L M R
224 loca *om.* L
226 modum A motum A^2
227 scelestis V /celestis $V^?$
228 elementatis A
229 dedignatur L
230 Ex L
231 fit V minoris A maioris A^2
233 subilius L

Hic vero latet interius, subtile velut sunt:
Cor, cerebrum, necnon et epar, dominantia membra,
Testiculique licet sint ex hiis, sunt tamen extra
Ob generativam foris auxiliantis egentem.
Ista quidem vice celorum funguntur in ipso.
Et quibus est servire datum specialiter istis,
Scilicet arterie, pulmo tracheaque cordi,
Vene, fel et splen epati, nervique cerebro,
Sensus et motus et semen dantia vasa
Testiculis, stomachusque cocus generalis eorum.

Sol in corde manet et in arteriis dominatur,
Vivificans per eas totius corporis artus.
Mercurius patulam pulmonis habet regionem,
Tracheam quoque vociferam linguamque loquacem,
Testiculos Venus et que semen vasa ministrant
Sortitur, sed epar Iovis est stomachusque cibator,
Splen Saturnus habet, Mars fel, et Luna cerebrum.
Stellatum celum nervos, sensus habet atque
Nonum motivos, cuius rapit omnia motus.
Virtutes iterum potes assignare planetis.
Et naturales in primis; appetit ergo
Mercurius, retinet Saturnus, digerit autem
Iupiter, expellit Mars, pascit Luna, nutrit Sol.
Atque Venus generat, post quas et sic animales.
Sentit Iupiter et Sol cogitat ac ratione
Utitur ac meminit Saturnus, Luna localem
Exercet motum, discernit Mercurius, Mars
Iram succendit, desiderium Venus auget.

235 cerbrum A cerebrum A^2
237 Ad R generatura V agentem V
239 Ex L E R
240 alterie R
241 splen *i. corr.* $V^?$
243 cocus) cibans S generalis eorum) generaliter omnes S
244 materiis L alteriis R arterteriis V
246 patulam) paulatim L
252 mortuos R
256 Mars *om.* A *add. i.m.* A^1
257 quos L R sic A sicque A^2
258 ratione utitur R
259 *hab.* Utitur R aut L

Compositos itidem dabis humores elementis.
Aera sanguis habet, habet ignem colera, terram
Melia, phlegmon aquam, sed rursus homogeneorum
Membrorum quedam sunt horum danda quibusdam.
Ossa quidem terrestria sunt aqueeque medulle,
Aeree carnes, cutis ignea, cetera claudens
In se, sicut ibi tria circumplectitur ignis.
Distribuuntur item sic officialia membra,
Arce manens caput in supera iuri datur ignis,
Venter aque, dorsum terre, manuumque pedumque
Ramos aer habet, cuius per inane vagantur.
Sic homo maioris est mundi factus ad instar
Sic homini totus maior mundus famulatur,
Sic hominem celique regunt elementaque pascunt.
Sed specialius est celi pars una dicata,
Ut proprie per eam species humana regatur.
Nam quamvis homini totum celum famuletur,
Appropriata tamen est cuilibet ex elementis
Quedam pars celi; regionem Sol regit ignis
Materiamque cometarum sublimat ad ipsam,
Subtilemque levat pro dando rore vaporem.
Inde minoribus est datus aer quinque planetis,
Ad quorum motum mutatio temporis omnis
Accidit et veniunt nix, grando, tonitrua, fulmen,
Ventique et pluvie; Lune sequitur mare motum
Acceditque ad nos quotiens ad meridianum

263 Acra V
264 aqua L
267 laudens A claudens A^2
268 se) sese S complectitur A S circumplectitur A^2 tria nunc complectitur M
269 idem A V
270 Arte L
274-275 *ord. inv.* A V
274 maior totus M
276 specialis adest L celi) mundus R
279 tamen inest R
280 sol) *om.* A S que L qua R quam A^2
281 conmotarum L
282 Subtileque V pro) quod L
283 quinque) quemque L
284 motus L V
287 Acciditque A Acceditque A^2

Luna venit, quotiens et ad orizonta recedit.
Fortius accedens, quotiens ascendit ad augem
Orbis Luna sui, cuius centrum, quia distat
A centro mundi, nomen quoque traxit ab inde
Cuspidis egresse, similique modo, quotiens est
Orbis in auge brevis, quem nominat ars epiciclum,
Et quotiens utriusque simul conscendit in augem,
Est, sicut plus esse potest, accessio fortis.
Tunc etiam pisces meliores sunt ad edendum,
Precipue qui sunt in conchis degere nati.
In terra tandem stelle fixe dominantur
Ad numerum, quarum datus est numerus specierum.
Que tamen ex stellis cui serviat ex speciebus,
Nescitur; sed homo regitur specialiter orbe
Nono, qui celos et continet et movet omnes,
Unde fit ut sicut stellarum motus obedit
Et trahitur, celi quod continet omnia raptu,
Sic dominatur homo cunctis aliis speciebus.
Sicut et in celo lux est subtilior isto,
Sic homo dignior est, mentisque capacior alte,
Sicut et hoc celum primus fovet immediate,
Sic hominis speciem super omnia diligit idem.
　Et cum de cunctis sit cura deo speciebus,
De solis individuis huius speciei
Cogitat, in quorum sunt cuncta creata favorem

288 et *om.* M
289 quot. ad ascendit ad A ascendit) accedit M angem L V anguem M R
291 quoque traxit) contraxit L S
292 Cuspis R
293 ange L V angue M R V
294 concendit R anguem M R
297 de genere R natis S nati/ S?
298 terram L M
300 *vs. om.* R Que est tamen A est *exp.* A^2
301 si homo spēs specialiter L
305 Et L
305 et 307 *vss. confl.* L (homo dignior mentis cap. *etc.*)
306 *vs. om.* L
307 capator arte R
309 homine V hominis V^{1st}
310 fit V
312 Cogit A Cogitat A^2 favore A R

Illis precipue dans quandam nobilitatem,
Vim speculativam, divini munus honoris,
Per quod dignatus sibi nos est assimilari,
Infundendo creans ipsam, infundensque creando.
Ac alie vires anime cum commoriantur
Omnes, corporibus se separat unica vis hec
Corpore nec pereunte perit, quoniam licet ipsa
Non sit ab eterno, postquam tamen incipit esse,
Durat in eternum, cuius quia conditiones
Eternas quasdam inveniunt, sub tempore quasdam
Dixerunt, quod eam factor lucis creat inter
Tempus et eternum confinem ambobus, ad instar
Orizontis, qui duo semisperia mundi
Visum scilicet a non viso dividit eque.
Separat autem se quoniam de corpore toto
Non habet organicam respondentem sibi partem.
Est igitur sine fine manens ubi ceperit esse.
  Horum mundorum, nullo deus iste iuvante,
Materiam potuit, scivit, voluitque creare,
Ac ipsos de materia formare creata,
Maiori lucem infundens animamque minori.
Et placuit sibi quod tales essent duo mundi
Quodque due partes quas mundus habet minor essent:
Hec finibilis et semper durabilis illa.
Et quod maiori motus essent duo mundo:
Hic finibilis et semper durabilis ille.
Non tamen univoce sumatur semper utrinque,

313 quandam dans L
314 Vivi R
315 quod) quos R assimulari L
316 infundansque A fundensque L
317 Sic L S At R
319 perente perente perit V perente *alter. exp.* V^2
321 et 324 *confl.* M (eternum confinem *etc.*)
322-323 *om.* M *add. i.m.* M^2
323 factor) fortior L
326 annon L a non L^1
327 autem) ante L
329 ubi) nisi M
332 At R
334 mundo A mundi A^2
337 maior R
338 Hic et fin. R

Nam semper durant anime sine fine manentes.
Sed motus cessare potest durasseque semper.
Semper enim durat quod tempore durat in omni
Et motum tempusque sibi liquet esse coeva.
Nam nec motus erit sine tempore nec sine motu
Tempus; que sicut cepisse simul potuerunt,
Stare simul poterunt, cum terminus affuerit, quem
Conditor imposuit, nec eum novit nisi solus
Impositor, sicutque fit ut, durante perhenni
Motu, causatur perpes generatio, sic et
Iste status causat vitam sine fine quietam,
Ut quod vixerat hic ad tempus in hiis elementis
Vivat in eternum super orbes glorificatos.
De rationali dico, cui vita superstat.
Statim ergo veniente statu fient nova cuncta.
Scemate nam simili status innovat omnia, sicut
Et motus generat; celi generatio moti
Est effectus et eiusdem surrectio stantis.
Ad motum celum finiti temporis esse

340—346

Eternum primum dic perpetuumque secundum,
Perpetuum dico quod in omni tempore durat
Eternumque nec cepit nec desinet esse.
Ergo perpetuum durare intellige quantum
Durabit tempus, quod nec tempus sine motu
Nec sine tempore motus erit, prohibet nichil ergo
Quin stent ambo simul cum terminus affluerit quem

L et aliquot codd.

340 carentes R
343 licet M
346 quam A
348 que) quod L fit *om.* M.
349 causas V causatur V^1
350 causat super vitam V
351 Et L dixerat R
352 orbes) omnes L glorificatus R
354 Statum M vel Statim *sscpt.* M^2 Ergo statu veniente statim fient nova cuncta S
355 iam A omni L
357 eiusdem) eius A est eius R resurectio V
358 motum pertinet celi fin. R

Pertinet, adstans atque quietum pertinet esse
Eternum, fixumque manens et glorificatum.
Porro statum sequitur surrectio tam generalis,
Quam preter motum generaliter omnia stabunt.
Ergo necessario nova fient omnia; celum,
Sidera, mundus, et hic et corpora nostra resurgent.
"Si stet motus" ais; sic est, sed stare necesse
Non est; et quamvis sit naturale resolvi
Quod iunxit natura, tamen non vult deus illud
Quod ratione bona iunctum fuit usque resolvi.
Unde fit ut quicquid natura solubile iunxit,
Sanxierit bonitate sua divina voluntas.
Hec ais, hec et ego; simul unica perficiendis
Omnibus organicis non sufficit endelichia.
Est animabus et hoc, aliquid quo dicitur una
Quelibet illarum, quo differt omnis ab omni.
Si vero motus non stet, generatio semper
Continuabitur et species humana creatas
Infusasque novas animas sibi multiplicabit.
Separat autem se virtus, anime speculatrix,
Propter eam causam quam dixi; sic animarum
Infinitus erit numerus, natura sed istud
Non patitur nec stare potest, quare neque primum
Sic stabit motus, sic corpora nostra resurgent,
Ad proprium corpus anima quecumque reversa.
Non quod Deucalion sit Pirra futura, sed istud
Corpus idem numero quod habebat uterque resumet.

359 quietem R
361 Post L resurrectio V
363 fiens V
364 et (*alter.*) *om.* A *add.* A^{2}
365 Si stet sic motus ars sic R ait M
367 non *om.* A vult deus A vult sic deus A^{2} R
370 Sancierit S Sanctierit V
371 ait M ars V hec) hoc L proficiendis L
373 quod A
374 Quolibet L Quodlibet M istarum A R quo) non L
378 Ceperat aut se L
380 est V illud L
381 neque) nec A L V neque A^{2}
382 maotus A a *exp.* A^{2}
383 quacumque L S
384 illud M
385 utrimque L

Ut, quia pro meritis reddenda est gloria, pena
Pro culpis, proprios actores queque sequatur.
Sic mutabit nos excelsi dextera, solo
Verbo, nam standum si iusserit, illico stabit.
Non ut dissolvat que iuncta bona ratione
Sunt, sed ut in melius commutans sanciat illa.
   Forte tuus tamen id non sustinet intellectus,
Ignis reliquias sic in melius renovari
Posse; quod et memini dicens hec de Iove verba:
Esse quoque in fatis reminiscitur affore tempus,
Quo mare, quo tellus, correptaque regia celi
Ardeat, et mundi moles operosa laboret.
Sed de hoc non est vis; is enim qui primo creavit
Omnia de nichilo, reparare potest ea, multo
Fortius ex aliquo, renovando modo meliori.
   Hic deus omnipotens est virtus illa suprema
Cui me devoveo, cui soli confiteor me
Totum deberi, cui soli debeo grates
Tam de gratuitis quam naturalibus, et quam
Fortune donis, isti me iudice soli
Debetur reverentia, debetur famulatus.
Huius amicitias hic si michi comparo, spero
Quod meliore gradu coram se stare iubebit.
   Huius cultorem me repromitto futurum,

386 Et A
387 actores *om.* A *add.* A^1 queque) seque L
388 nos mutabit V
389 si *om.* V iusserit) dixerit L
390 dissolverat V
391 uti mel. L sanctiat V
392 tamen tuus L S
394 quod *om.* A hec *om.* S
396 corruptaque R
397 melos L laborat A laboret A^2
398 qui *om.* L
400 meliorum L
404 quam de nat. R S quam ///nat. S?
405 bonis V
407 michi) modo A R
408 stare) sedere R videbit L
Inter vss. 409-410 Dum tamen ipse trahat quia si non traxerit ipsi Nemo placere potest et ad ipsum nemo venire *M aliquot codd.* (III 764-765).

Huius et O utinam merear meminisse, priusquam
Adveniant anni quos dicam non placituros!
Sol ut obumbretur et stelle, lunaque solis
Lumen, post pluviam redeant nubes, iterato
Custodesque domus seu fortes commoveantur,
Quique vident per parva foramina contenebrescant.
Filia carminis obsurdescat, surgere mane
Que solet ad vocem volucris, ducantque molentes
Otia, formident timeantque excelsa viarum.
Flore suo canescat amigdalus, imminuatur
Capparis in lumbis impingueturque locusta.
Rumpatur funis argenteus atque recurrat
Aurea virga, super contrita sit ydria fontem
Cisternamque super confringatur rota, pulvis
In terram redeat, sed liber spiritus ipsum
Evolet ad dominum, qui desursum dedit illum.
  Temporis illa dies finem faciet michi vita
Victuro meliore quidem, si reddidero me
Gratum factori largitorique bonorum.
Precipue si serviero sibi, si bonitatem
Ipsius summam dilexero corde tenaci,
Menteque perfecta, si glorificavero laude,
Neve creature cultus impendero dignos
Maiestate sua, seu reddendos sibi soli.
Sic igitur metuenda dies non est michi mortis.
Et si non alias, ideo saltem, quia finem
Exilio faciet; mors regibus exulibusque
Communem patriam parat et communiter omnes

410 ob A
411 dico M
414 domos L se V
416 absurdescat V
417 a voce R ducatque L
418 occia M formidem V timeritque L
420 Carparis L Cappanis R que *om.* V
421 argenteusque rec. V
423 Consternamque R tota A R rota A^2 R^{1st}
426 faciat A
428 factoris S factori//S$^?$
432 impendeo L V
436 moro V mors V^1

Urbe sua recipit et nullos inde relegat.
   Porro non penitus caret utilitate quod ipsa
Terminat exilium, quale est habitare sub arcto
Quale Getas inter, quia proximitate Getarum
Deterius nichil esse potest, ubi vivere certe
Non aliud reputo quam mortem continuare.
Quamvis esse malam mortem super omnia dicant,
Non nichil est finire malum; mala sunt bona finem
Impositura malis. Non semper vivere vellem,
Si non concessum simul esset posse reverti.
Nam quoniam reditum michi iam sperare negatum est,
Opto mori, sed si michi vivere forte liceret
In patria, gravior foret expectatio mortis.
   Nec me quorundam deterret opinio vana,
Qui dicunt animas apud infernalia regna
Exercere quod hic exercuerant, quia verum
Si foret hoc, non exilium fugerem moriendo.
Dii melius! Quod si dixisse redarguar illud,
Non fuit hoc quia sic sentirem sed quia vulgo
Cum loquerer, vulgi decreta tenere volebam.
Verior et potior sententia philosophorum
Illorum proprie, quos illa scientia dives
Occupat astrorum, qui partem iudiciorum
Excercent, et principiorum reddere causas
Sufficiunt, varios effectus inde probantes.
   Hos apud invenies quid significare planetis,

440 archo L artho M alto R arco S arto V arcto A *et aliquot codd.*
441 Getas) geras L iethas R gethas S proximate V ietharum ie *i. corr. R*
442 nichil) nec V
445 est) ea V
449 vivere mihi forte R
451 quorum V qua R vana R^{1st}
453 verum si foret hoc A
454 *hab.* Si foret hoc A
455 redarguat V
456 hoc *om.* A *add.* A^2 sic *om.* L
457 nolebam L
459 proprie) quippe V
460 patrem R
463 Hoc L O apud S capud V iuvenes L planetam M

Quid signis domibusve datum; quia circulus ipse
Dividitur bimode per sex signa domosque,
Hec divisio naturalis et hec situalis
Diversasque trahunt vires ab utraque planete.
Qui cum sint septem, duo sunt ibi lumina magna
Estque planeta diurnus Sol nocturnaque Luna.
Et rursus Sol masculus est et femina Luna,
Sol calidus siccus est, humida frigida luna.
Pertinet ad Solem virtus activa caloris;
Pertinet ad Lunam passiva sed humiditatis.
Sicque potest dici Sol sponsus Lunaque sponsa,
Ex quibus in mundo res omnis habet generari,
Humorem Luna, prestanteque Sole calorem.
   Post Solis Luneque faces sunt lumina quinque
Propter naturas totidem, quia sunt elementis
Quatuor affines, commixta ex omnibus una.
Frigidus et siccus est Saturnus calidusque
Mars est et siccus, et Iupiter est calidus sed
Humidus, atque Venus est humida frigida, mixtus
Mercurius convertibilem se reddit ad omnes.
Rursus Saturnum dicunt Martemque malignos,
Sed plus Saturnum, Martem minus. Ex aliaque
Parte Iovem Veneremque bonos, plus hunc, minus illam.
Mixtum Mercurium ponunt in utroque vicissim.
   Ex hiis principiis sunt inter cetera multa
Conati domini stellarum reddere causam,
Cur sit nona domus fidei vel religionis.
Nam cum Saturni sit circulus altior, inde

464 quia) quid L
468 ibi *om.* V luminaria M V
469 *vs. om.* S diuturnus L
470 rursum A S rursus S^1
471-472 *ord. inv.* R
471 *vs. om.* M siccusque est L
472 coloris L V
484 Rursum S Rursus S^1 Martemque) veneremque A *i.m.* martemque A^2
485 Martemque minus L
487 utraque S utroque S?
491 fit V

Incipiunt primeque domus venantur ab ipso
Causas et proprietates; iterumque secunde
A Iove, qui succedit ei, similique deinceps
Scemate per reliquos, donec sit septima Lune.
Inde revertatur octava domus moderanda
Saturno, post nona Iovi, ubi Iupiter ergo
Significare fidem per prenarrata probetur.
Nec poterit domui none prestare quod ipsa
Significare fidem possit vel religionem,
Sed quod significet sic per predicta probetur.
   Fortunas Iovis et Veneris prediximus esse,
Maioremque Iovi dedimus Venerique minorem;
Cumque due vite sint, presens atque futura,
Dignior illa quidem quam sit presens ideo, quod
Plus valet eternum quam quod pro tempore durat.
Propter id est Veneri data significatio supra
Fortunas huius mundi, sit gratia verbo,
Ludos et cantus, ornatus atque colores.
Quodque per olfactum gustumve iuvat coitumque,
Et concludendo breviter, super omnia mundi
Gaudia, quicquid in hac est delectabile vita.
Sicque Iovi cessit vite fortuna future,
Assertive quam nullus describere posset;
Immo negative vult describi, quasi dicas
Qua nichil est melius, nichil est iocundius usquam.
Quod cum non possit nisi religione fideque

492 *vs. om.* R *add. in loco proprio inter lineas* R^1 veneratur L venentur R^1
493 Causa A causas A^2 secundo M
494 suscedit R succedit R^1 similisque L
495 pro V septima) seipsa V luna V
496 moderanda) veneranda A R
497 Satur A R nona) ubi R
498 Signare V fidem que per R
498-499 *vss. om.* L
499-501 *vss. om.* R
501 significat L
503 Iovem L
504 presensque fut. L
506 contra S quam S^1
507 est *om.* A *add.* A^2
508 mundi *om.* L
510 offatum A
514 nullum L possit M posset M^2
517 possint R

Quatenus acquiri, merito quoque Iupiter illas
Significat, merito domui none dedit illas,
Ex quibus ulterius venabimur, ut veniamus
In vite secli venturi cognitionem.
  Significare fidem Iovis est et religionem.
Ergo secundum quod complectitur ipse planetis
Et fidei species debent diversificari.
Sicque fides sunt sex sed non nisi quatuor usque
Tempus ad hoc presens latas invenimus esse.
Si complectatur Saturno Iupiter, ex quo
Saturnus gravior est omnibus ipseque nulli
Iungitur ex aliis, omnes iunguntur eidem.
Esse fides debet que nullam confiteatur
Ex aliis, omnes tamen inclinentur ad ipsam;
Talis erat Iudea fides et talis adhuc est.
Si Marti, Caldea fides credetur apud quam
Ignis adoratur, cui significatio Martis
Concordat; sed si Soli, sequitur quod adorent
Militiam celi, cuius princeps quoque Sol est:
Si Veneri, iam nostra fides convincitur esse,
In qua, si libeat, quodcumque licere putatur.
Scripta licet super hoc nondum lex inveniatur.
  Et quia quatuor has iam precessise videmus
Et reliquas etiam presumimus esse futuras,
Lune postremam legem fore conicientes,
Vel quia post alios est circulus infimus eius,
Vel quia lunaris motus corruptio legem
Omnem significat tolli debere per ipsam.
Feda fides erit hec quam rex in fine dierum

518 meritoque Iup. A
519 *vs. om.* L R
522-523 *ord. inv.* L
524 spes A spēs A^2
525 non nisi) multi L
528 est ex omn. A R
529 alias L aliis L^1
530 nulla V confiteantur L
535 si *om.* L se A sequitur A^2 adoret L
540 quia *om.* L S
542 convicientes L
545 illam L
546 quam) quia L

Sive potens aliquis violenter et absque colore
Est inducturus, qui divinum sibi cultum
Usurpare volens, occidet et opprimet omnes
Contradictores, nec tanta occisio, tanto
Tempore, pro turpi causa precesserit umquam.
Sed durare parum poterit, quia Luna figure,
Motus et lucis est mutativa frequenter.
  Ante tamen legem Lune lex Mercurialis
Promulganda manet, sed propter Mercurii tot
Circuitus et tot inflexus atque reflexus,
Difficilis credi super omnes lex erit illa;
Et multum gravitatis habens, multumque laboris.
Obvia nature supponens plurima sola
Concipienda fide, quare dubitatio multa
Surget apud multos nodosaque questio multa.
Sed quia Mercurius scripture est significator
Et numeri, per que lex omnis habet stabiliri,
Et quia precipue non que sunt temporis huius
Mira, sed eterne promittet commoda vite,
Tot defendetur subtilibus argumentis.
Quod semper stabit in firmo robore donec
Tollat eam Lune lex ultima, sicut et omnes.
Vel saltem suspendat eam, quia rex ubi nequam
Predictus sublatus erit, cessanteque feda
Lege sua, vel erit tunc consummatio, motu
Stante, vel ex aliis predictis legibus unam
Omnes assument et forte probabiliorem.

547 aliquis) aliis R
548 indicturus V
550 occasio M tanta) tanto L tanto) tanta V
551 processerit S
552 siet A Set A[2]
555 Propter promulg. manet L
556 Tot circ. et tot infl. L totus A tot A[2]
560 duplicatio L
561 *vs. om.* L M nodosa queque A nodosa que A[2]
566 Tot *om.* V *add. i.m.* V[1]
567 stabit semper R
568 Tollet A R V
569 eum L rex *om.* L
570 ablatus R
571 Luce L

Nam quia decepti fuerint communiter omnes,
Ad resipiscendum venient concorditer omnes.
  Tunc fiet legum collatio; forte videtur
Quod non debebit preferri que colit ignem,
Vel que militiam celi, quia nulla creata
Res est digna coli. Rursum Iudea fides et
Nostra, creatorem solum licet esse colendum
Edoceant, tamen eternum nichil inde mereri
Promittunt, sed que presentis sunt bona vite.
Ista voluptates promittit et illa fluentem
Terram lac et mel; lex autem Mercurialis
Dignior esse fide reputanda videtur, eo quod
Eterne vite bona promissura sit, ad que
Nemo venire potest nisi religione fideque,
Que Iovis in sortem cesserunt significantis,
Sicut predictum est, eterne commoda vite.
Felix qui secte causas prenosse future
Posset venturus per eas in cognitionem,
Quis sibi vivendi modus aptior esset ad hoc quod
Inde mereretur eterne gaudia vite.
  Dicunt astrorum domini quod in omnibus annis
Viginti iunguntur Iupiter et pater eius.
Cumque duodecies in signis triplicitatis
Unius iuncti fuerint, seu tredecies, ut
Accidit interdum, tandem mutatur eorum
Ad succedentem coniunctio triplicitatem.
Quarum consuevit coniunctio maxima dici,
Que fit in initio puncti vernalis, et ipsa

574 qui A R
575 *vs. om.* R
576 fient V
578-579 *vss. confl.* M (celi rursum Iudea *etc.*)
579 rursus L fidesque R fides et R[1st]
584 Terram *om.* R Lac R
588 fortem S
590 secte) septem R prestire L
591 vent. in eas per cog. R
592 ad hoc) eo S
598 tam A dem *add.* A[1]
600 *vs. om.* R Quare M
601 sit R in *om.* L

Post quasi nongentos et sexaginta fit annos,
Ipso Saturno bis sex decies revoluto,
Significans nunc diluvium, nunc aeris ignes,
Nunc terre motus, nunc annone gravitates,
Regnorumque vices permutat et imperiorum.
Ast alibi que fit, mutata triplicitate,
Consuevit dici maior coniunctio, sectam
Significans mutansque fidem per climata quedam,
Et fit post annos quasi quadraginta ducentos.
Una quidem talis felice tempore nuper
Cesaris Augusti fuit, anno bis duodeno
A regni novitate sui, que significavit
Post annum sextum nasci debere prophetam
Absque maris coitu de virgine, cuius habetur
Typus, ubi plus Mercurii vis multiplicatur,
Cuius erit concors complexio primo future
Secte; nam nusquam de signis sic dominatur
Mercurius, sicut in signo virginis; illic
Est eius domus, exaltatio triplicitasque
Per totum signum nec non et terminus eius
In primis septem gradibus dictique prophete
Typus habetur ibi, quamvis sub enigmate; namque
Hiis in imaginibus, que describuntur ab Indis
Et Caldeorum sapientibus ac Babilonis,
Dicitur ex veterum scriptis ascendere prima
Virginis in facie, prolixi virgo capilli,
Munda quidem magnique animi magnique decoris,
Pluris honestatis, et in ipsius manibus sunt

602 sit R
604 Significatum M
605 motum L
606 que *om.* L permutant A permutat A?
607 alibi) alia L
610 Ut L sexaginta M
611 tali L
615 hebetur A habetur A^2
616 vis Mercurii L
617 coniunctio S
623 namque) manet R
628 magnique animique dec. S
629 manibus *om.* A manibus sunt *om.* R

Spice suspensis et vestimenta vetusta.
Sede sedet strata puerumque nutrit, puero ius
Ad comedendum dans, puerumque Ih'm vocat ipsum
Gens quedam, sedet et vir ibi sedem super ipsam.
Hec scripsit prior ille propheta Noe venerandus,
Et docuit primogenitus Sem filius eius.
Hec autem celi pars ascendebat in hora,
Qua cum Saturno Iovis est coniunctio facta,
Nuper significans sectam, quia triplicitatem
Mutavere suam, nec non etiam prope punctum
Veris, ubi fieri coniunctio maxima posset,
Principio signi propior, si forte fuisset
Tunc, et erant anni Grecorum quinque trecenti
Atque novem menses cum ter sex pene diebus.
  Felix cui plene coniunctio tanta pateret
Tamque potens fidei preclare, significatrix
Per quam venture queruntur gaudia vite.
Per quam cognosci mores et vita prophete
Predicti possunt, scirique potest per eandem
Quod sine peccato vivet super omnia verax,
Et quod doctrine sane, quod clarificandus
Portentis et prodigiis mirabilibusque
Virtutum signis, que certe posse patrare
Non est humanum, sed digna deo potius sunt;
Forte nec est hominem fas ipsum dicere purum.
  Nam super hoc puero sunt olim multa locuti
Quidam, qui vitam ducebant spiritualem.
Utentes parce sompno potuque ciboque

630 suspensus L S suspense V
631 Sede *om.* L streta V strata V^1 que *om.* V ius) vix L
632 puerum et ihm V puerum//ihm V^2 illum V
638 Super V signans R
642 anni *om.* L trecenti) crescenti R
643 *vs. om.* S
646 venturus V
648 scireque S
649 Qui L
650 glorificandus M
652 Virtutis R
657 sumpno M

Sensibilique suus elongabatur ab omni
Spiritus, et domita se sursum carne levabat.
Sic intellectus intendebatur eorum
Intantum, quod eis prenosse futura dabatur;
Vel per sompnia, vel vigilando cadebat eorum
In mentem, per eosque loqui deus ipse volebat.
Ac ideo tales appellavere prophetas.
Tales dixerunt quod sic de virgine nasci
Debeat unus homo simul et deus, et quod utramque
Humanam atque dei sit naturas habiturus.
Sed via possibilis non est, hec clausa videtur
Porta meis oculis, quia non intelligo plane.
Hoc unum novi quod homo fieri deus umquam
Non posset, nam quod ex tempore ceperit esse,
Eternum non esse potest, quia si cariturum
Fine sit, idcirco quod fit deus, amodo saltem
Non sine principio poterit fore, sed quod utroque
Non caret, eternum non est, etenim duo ponit:
Et quod ab eterno duraverit hactenus, et quod
Duret in eternum; quare quod conditionis
Non est eterne, fieri nequit amodo tale.
Si deus est, igitur eternus; nemo deus fit.
Hoc unum novi, sed nescio si deus esse
Vellet homo; si vellet enim, cum summa voluntas
Non habeat vel habere queat quibus impediatur,
Posset homo fieri carnemque assumere posset
Ac unire sibi, sed qua ratione moveri

658 elongabitur A elongabatur A²
659 domata A domita A² lavabat V
661-662 *vss. om.* R *add. inter vss.* 669-670 R¹
661 quod in eis prenosce L
666 utrasque L utrumque M
669 oculos S oculis S? quia) quod V
671 nam) sed A cepit R
673 sit) suo A M sic L scio R fit) sic L deus *om.* R
675 ponunt V
677 quod *om.* A *add.* A¹
678 nequid L V
683-684 *vss. confl.* A M R (fieri sed qua *etc.*)
684 Adunire L

Posset ad hoc, ego non video; tamen undique venor,
Undique perscrutor si possem forte venire
In verisimilem veramve probabilitatem,
Qualiter induci deus ad quid tale volendum
Posset; certus enim sum quod lex Mercurialis
Plurima nature contraria sit positura.
Hoc unum video, quod cum deus, ut retro dixi,
Celestem motum providerit esse staturum,
Et sibi de solis individuis speciei
Cura sit humane, vult forte viam meditari,
Qua possint homines in fine resurgere mundi.
Quare vult individuum specialiter unum
Inter eos fieri, quod naturaliter ambas
In se naturas habeat, nostramque suamque;
Ex unaque mori rursumque resurgere possit,
Ex alia, cuius virtute resurgere possint
Omnes, post habitum per eum de morte triumphum.
Hoc esset certe dilectio maxima, sed non
Miror si summus sit munera summa daturus.
Sed licet iste foret homo verus, non tamen ipse
Nasci deberet sicut communiter illi
Nascuntur, qui sunt homines puri, quia tantum
Ac talem, per quem foret incorruptio danda,
Ex incorrupta quoque nasci matre deceret.
Hec sunt que cecinit Cumane Musa Sibille
Nuper in urbe sacra, quasi cuncta fides oculata,
Predocuisset eam, vel in aure sua sonuissent.
Confiteor quod dicta fides quam plurima ponet

689 sunt V sum $V^?$ quod) hec L
691 vidi L recto S
692 Celeste nomen L staturam L
694 meditare V meditari $V^?$
700 *vs. om.* V *add. inter lineas in loco proprio* V^1
701 post) per L
703 sit) si A sit A^1
704 iste *om.* V *add.* V^1 verus *om.* V non tamen) nam cum L
708 nasci quoque L
709 Hoc L Sibille) sacra L
710 Super A Sibille super L
712 ponerit M

Obvia nature, sed adhuc ibi questio restat
Difficilis, de qua surgit dubitatio maior.
Nam de predictis quidam dixere prophetis
Quod deus est trinus et quod nichilominus unus.
Hoc autem tantum meus intellectus abhorret,
Quod nec materiam se vertere possit ad istam,
Non quia non multum desideret ut sciat huius
Dicti radicem, si radix est ibi, verum
Semita nulla patet michi qua veniatur ad ipsam.
Nec tamen hoc verbum soli dixere prophete,
Sed quidam de philosophis, qui pauca locuti,
Magna subesse suis voluerunt pondera dictis.
E quibus in medium veniat famosior unus.

Inquit Aristoteles, Grecorum philosophorum
Princeps et dominus verique perhennis amicus:
Res omnes sunt tres, numerus ternarius in re
Qualibet existit, nec nos extraximus istum
A nobis numerum sed eum natura docet nos.
Nam per eum numerum similes res dicimus omnes
Esse creatori, per eum quoque nos adhibemus
Significare deum, qui quamvis sit deus unus,
Est tamen et trinus. Sic dixit nescio cuius
Doctrine precepta sequens, aut nescio cuius
Philosophi zelans vestigia, sive prophete.
Dixit quod trinus nec dixit quomodo, solum
Dixit quod sic est, qui numquam credulitatis
Incessisse via visus fuit, usus ubique
Aut rationibus aut cogentibus argumentis.
Hic autem nulla fultus ratione, velut si

713 ubi L
714 maior) tanta S
715 quedam V
718 posset S
721 michi *om.* R
722 Non A L M
725 Ex L De V
730-731 *vss. confl.* R (numerum similes res *etc.*)
730 nature V natura V^{1st}
735 *vs. om.* R
737 quomodo) quo/// L questio R quo S

Texeret historiam, solum sic esse canebat.
Et quasi per calamum plumbi fortasse locutus
Spiritus est per eum, vesanaque pectora verbum
Evomuere novum, quod non conceperat ipse.
Ac si nec super hoc omnino tacere valeret,
Nec quod dicebat plane cognoscere posset.
    In quo sic illo famoso deficiente,
Nec confundor ego, michi si perfectio desit
Ad cognoscendum quedam, quibus inferior sum.
Nilque verecundor contra me vera fateri.
Defectivus in hoc meus intellectus abundat,
In multis aliis, nec enim misteria tanta
Pervia sunt nobis quia que proportio lucis
Solis ad obtusos oculos vespertilionis,
Hec et ad ingenium nostrum huius materiei.
Nec puto posse capi nisi postquam venerit ille
De celo, celi plene secreta revolvens.
Tunc etenim credam si tantum dixerit ipse.
Et quia dicturum dicunt, etiam modo credo
Ipsum venturum, iam diligo iamque paratus
Credere doctrine quam dixerit esse sequendam,
Cultoremque suum me repromitto futurum,
Dum tamen ipse trahat, quia si non traxerit, ipsi
Nemo placere potest et ad ipsum nemo venire.
    Docturus tamen est qua nos veniamus ad ipsum
Monstrabitque viam, quia per quam venerit ad nos,
Illa tenenda via est, illac nos ire necesse.
Et iam precessit de quadam virgine, per quam

742 hic A sic A^2
743 quasi) quia V fortasse locutus *om.* A *add.* A^2
745 iste V ipse V^1
748 sit L R
753 tantam L tanta L$^?$
755 ad) aliquid V obtusus V
756 et *om.* M S
759 ipse) esse L
760 credam L
761 Et ipsum L
762 sequendum L
764 ipsi) ipse L
765 venire nemo M *ord. corr.* M^2
766 quia L
769 precessit *om.* R

In mundum veniet; nobis erit hec adeunda.
Hanc mediatricem dabit humano generi rex,
Largitor venie nostreque salutis amator.
O Virgo felix, o Virgo significata
Per stellas, ubi spica nitet, quis det michi tantum
Vivere, quod possim laudum fore preco tuarum!
Nam nisi tu perfecta fores, non eligeret te
Hic deus omnipotens, ut carnem sumeret ex te,
Uniretque sibi, nisi digna fores, etiam quod
Filius ille tuus, postquam surrexerit et de
Morte triumpharit, te vellet honorificare,
Te superexaltans celosque locans super omnes,
Et sibi concathedrans, ubi namque locaverit illam
Electam carnis partem, quam sumpserit ex te
Et carnem de qua fuerit sua sumpta, locabit.
Fas etenim non est quod postquam portio carnis
Una tue fuerit sic cum deitate levata,
Reliquias alibi locet, ut sua diminuantur
Munera circa te, dum quod bene ceperit hac in
Parte tui non in te tota prosequeretur.
Nam contracta manus tanto est indigna datore,
Perfectum perfecta decent, absit quod apud quem
Plena potestas est, illi det dona recisa,
Quam vult sublimare creaturam super omnem.
Sed nec ad id quod sic prelata resurgat, oportet
Expectare statum motus in fine dierum,
Quando resurrecturi sunt generaliter omnes,
Presertim cum sit illi carni specialis
Causa resurgendi, que materialiter illam
De se producet carnem, que primo resurget,

774 pisca A spica A^2 spica R spiga R^1
778 sibi s A s *exp.* nisi A^{1st}
784 sumpta) sponte M
785-805 *vss. om.* S
788 te) que L hanc V
789 Per te cui L
791 perfecta) perfectam V
793 vult *om.* R *add. post* creaturam R^2
794 sit L
797 sint M sit M^2

Unde resurgendi vis propagabitur ad nos.
Nec fas est etiam quod eatenus in minus alto
Sistatur suus ordo gradu, quia quam deus ante
Secula donandam tanto previdit honore,
Non opus est ut eam velit exaltare gradatim,
Sed simul assumet, simul et sibi concathedrabit.
Illic esto tui memorum memor, optima Virgo!
Illic cum fueris, pro nobis tracta, trahendis
Pro nobis te non pigeat suadere quod ad se
Nos trahat is per te, qui per te venerit ad nos,
Maxima quem per te dilectio traxerit ad nos,
A nobis ipsi sit gloria laudis, ab ipso
Gratia sit nobis, et mete nescia vita.

OVIDII NASONIS PELIGNENSIS DE VETULA LIBER TERCIUS EXPLICIT ET CUM EO TERMINATUS EST LIBER TOTUS.

801 Ne A alte A
803 tantam A tanto A? hononore V
805 et simul M et *exp.* M?
806 cui L optima virgo) O caro causa S
Inter vss. 806-807 Materialiter ei carni que primo resurget Unde resurgendi vis propagabitur ad nos S (III 798-800)
807-809 *vss. om.* M
809 Non L V
810 *vs. om.* L
Explicit Explicit liber Ovidii de vetula M Ovidii nasonis pelignensis de vetula 3° et ultimus explicit. Deo gratias et beate Me. Explicit hic liber sit scriptor crimine liber R *om.* L

NOTES

LIBER I

Title: "Natürlich ist die Auffindungsgeschichte erfunden, der Protonotar selbst eine fingierte Person. Mit dem Kaiser ist Johannes III ...gemeint, der von 1222-1254 regierte, freilich nie in Byzanz, sondern in Nikea." Lehmann, Pseudo-Antike Literatur, p. 13 (*Vide supra* p. 8).

1-14 These verses summarize that part of the Accessus which deals with the *De Vetula*.

1. *Am.* III. 15. 3 Paeligni ruris alumnus (When no author is cited, the reference is to the works of Ovid.)

10-12 *Trist.* III. 3. 65-66 Ossa tamen facito parva referantur in urna
Sic ego non etiam mortuus exul ero.

14 Cf. Battaglia, p. 198: Uno vocabulo greco che dice autentim, che tanto vale in latino quanto degno di fede e d'obedienza. *Ibid.* Note 1: Uguccione - Quando vero significat autentim, inde est auctoritatem et debet scribi cum u sine c ut hic autor.

15-17 Cf. *Am.* I. 1-4 Arma gravi numero violentaque bella parabam
Edere materia conveniente modus
Par erat inferior versus.

19-20 Cf. *R.A.* 90 tua laesuro subtrahe colla iugo.

21-22 evacuo "abolish" (Du Cange) i.e. when the reason for composing love poetry has been abolished, then the kind of poetry it inspired also ceases to exist.

33 Scholium: paradigma est proverbiale exemplum.

36 vendicet "claim as her own".

42 cribraram) a verb derived from *cribra* "a sieve".

49-50 Supply *me* as the subject of *ornari* and *castigare alute. A. A. III.* 271 in nivea... aluta.

51 *Ibid.* I 509 forma viros neglecta decet.

53 Supply *mea* with *facies,* in contrast to *puellis solis* (51-52).

57 Holmes (*Daily Living,* p. 165) comments that in Alexander Neckham's time "the men found shaving very difficult" since "the razor resembled a carving knife."

68 *Met.* III. 134 pignora cara, nepotes; *Her.* XII. 192 pignora nostra natas.

72 *famulus* and *famularis* occur frequently in Ovid, but the verb does not appear before the early mediaeval period.

85-86 A strange idea, which I have been unable to trace to its source. *Sponsa mellis* seems to be *cera,* which can be use for tapers only after it has been "divorced" from the honey (*ipsius sponsi).* Cf. *Met.* XV. 382 quos cera tegit... fetus melliferarum apium; *divortium* occurs in Ovid only in *R. A.* 693.

95-96 The ability to regulate the amount of artificial light accords with Holmes's comments about the use of various kinds of candlesticks for the table, as well as candelabra that stood on the floor (*op. cit.* 86).

106 Grossteste, *Summa Philos.* (Baur IX p. 470): Quod virtus intellectiva omnino est immaterialis, licet eius obiectum est materiale.

110 foranea lux) light from without is contrasted with the inner *lux doctrinae.*

115-121 Holmes (*op. cit.* p. 85), describes a twelfth-century coverlet for the bed as "of fur, embroidered with birds, beasts, and flowers," and the wall decorations as of "gold leaf and varied flowers" (pp. 247-248).

119 illis is ablative of instrument, agreeing with *imaginibus* (117).

126 *Met.* I. 251-252 subolemque priori/Dissimilem populo promittit.

127 refocillari cf. Vulg. *Jud.* 15. 19.

135 Scholium: sigillatio id est denigratio; sigillare "to deride" (Baxter and Johnson).

156 modicum...valere "are only moderately effective".

160 An imitation of Ovidian paradox.

165 *lucrata* supply *est; eadem* supply *religione.*

172-175 A difficult passage. On the whole, it seems best to take *ille* in both vss. 172 and 175 as referring to *maritus; pelice laesa* (174) is not an ablative absolute (cf. *A.A.* I. 365 cum paelice laesă dolebit; *ibid.* III. 379 nullā paelice laesă). The best mss. read *hec* (175) and all have *rivali,* which is dative after *dolet* and not ablative of comparison. The thought seems to be: Greater difficulties sometimes result when the mistress is a *nupta* (rather than a *virgo*). A wife's resentment at a mistress of her husband is less keen than that of a husband at his wife's lover, against whom he may take the measures described.

177 Cf. *A.A.* II. 397 Laesa Venus iusta arma movet.

184 *potatura* is used with the reflexive and an ablative of instrument as in II. 443.

200 Scholium: Di melius in locis plurimis apud Ovidium invenitur, sed dii bene me vidisse non memini alias apud eum.

201 eleemoysna is the spelling in Du Cange.

203 cruda = crudelis (*Met.* IV. 240 crudus homo)

212 gerula cf. Tertullian *Contra Jud.* 9 "one who carries".

214 *Felix qui* Horace *Odes* I. 13. 17; Maximianus I. 289.

221-226 Cf. Cicero *Nat. Deor.* II. 51. 128.

230 arbitrary law is opposed to *legem naturae.*

238 cognoscere amicam) in the Biblical sense (Du Cange).

241-242 *A.A.* II. 706 nec manus in lecto laeva iacebit iners.

250 *Ibid.* 679 Venerem iungunt per mille figuras; *Trist.* II. 523 Venerisque figuras.

252 *A.A.* II. 724 Et dulces gemitus aptaque verba ioco.

253-256 *Ibid.* II. 727-728 Ad metam properate simul tum plena voluptas Cum pariter victi femina virque iacent.

263 morosas (the reading of A^2 alone) is found also in the 1534 and 1662 editions. The alternative readings, which require a stop at the

end of vs. 263, seem impossible to me, though the omission of the semicolon, making *delicias* and *gaudia* coordinate, has some merit.

276-277 *R.A.* 122 Pugnat in adversas ire natator aquas. Holmes, *op. cit.* 68 "Swimming was not a common accomplishment in the twelfth century."

287 ventilabro "a winnowing fork" in Vulgate *Math.* 3. 12. *stabilo* is a mediaeval word from the classical noun *stabilimen* "a support".

290 Scholium: pyramidales instrumentum ad capiendum aves de panno quod potest dici toneta in gallico; *calligo* this verse in cited by Du Cange as the earliest use of the word meaning a net or mesh.

293 In classical poets I find no mention of dancing to the accompaniment of the *sistrum.*

295 Scholium: iectigatio est morbus motus involuntarii ex nervorum resolutione.

299 *avidis avibus* may perhaps refer to falcons (Cf. Holmes, *op. cit.* 232-233).

303-306 P. Abelardi, *Theologia Christiana* II. *ch.* v. pp. 368-369: Nam et columba mitissima esse creditur et benignissima omnium avium, quae et felle carere dicitur...unde et frequentius quam ceterae aves generare ac parere columbae sufficiunt, cum sint calidiores natura.

308 Scholium: divitias ex pullorum frequentia; it is used in apposition with *domestica: mense* from *mensa.*

310 Scholium: ovantes, non letantes, cuius prima brevis est, sed ovantes, ova facientes, est longa. *Defers* "contribute to" with *utilitate.*

312 anathemate Cf. *Vulgate* Num. 21. 3.

315-320 is obviously suggested by *R.A.* 199-204, where the words *Vel tu venandi studium cole* introduce a recommendation of hunting as an alternative to love-making. Cf. also M. Thiébaux, "The Mediaeval Chase", *Spec.* XLII (1967), 265-270.

321 *Met.* XIII. 832 dammae leporesque caperque; *Halieut.* 64 ut pavidi lepores, ut fulvo tergore damae.

323 In modern times this habit is associated with ostriches.

325 *cuniculum* is cited by Baxter and Johnson as "rabbit warren" in 1185. *fovee* cf. Horace *Ep.* I. 16. 50 Cautus enim metuit foveam lupus.

327 *Met.* VII. 701 tendentem retia cervis.

329 clavellose capitatis) Mozley, *op. cit.* p. 69 "des batôns avec des extrémites reuflés en forme de massues, convenables pour le jet contra les écureuils." Alexander Neckam (*De Nat. Rer.* Bk. II ch. cxxiv-Wright p. 204) uses the word *scurrilus* for squirrel and explains *a cursu nomen accepit.*

340-341 *quod* introduces a clause of purpose.

343-344 Inconsulta "inadvisable"; *voluntas* is contrasted with *sua virtus.*

357 aula = domi suae

361 Ovid (*R.A.* 207-210) refers to fishing as *lenius studium,* which one may indulge in *alite capta aut lino aut calamis* (cf. also *Met.* III. 586-587). In this connection we may note the comment of Haskins (*Stud. in Med. Cult.*, p. 118) that "fishing has left no similar remains from our period, for it was not a recongized sport of the upper classes."

362 sagena = seine.

363 Scholium: calige alate dicitur de filo contexto ad modum rotunde pyramidis convexe.

366-368 This is an almost exact description of a North American lobster-pot. Silius Italicus (V. 47-51) seems to have had in mind the classical equivalent, which a *sollers piscator* constructs *ore levem patulo texens de vimine nassam,* the object being *fraude artati remeare foraminis arcet.* Pliny (*N.H.* XXI. 54) defines a *nassa* as a trap for fish.

377 Scholium: archa ponitur hic pro receptulo piscium.

379 *dentato pectine* is apparently used here of the instrument by which these fish are snared, and not of the characteristics of the fish itself, as in Hor. *Sat.* II. 4. 34.

382 decios = aleas.

406-409 Alexander Neckham's rule for roofing (Holmes, *op. cit.* p. 99) is that the house should be thatched with marsh reed, or that a planking should be covered with tiles or slates.

410 He would use for further gambling any money left over.

412-420 The man who spends his money for drink or the lover who buys a sweetheart has had some pleasure from his expenditure, but the gambler has not.

428-480 An analysis of this passage occurs in A. M. Guerry's *Statistique Morale del'Angleterre Comparée avec la Statistique morale de la France.* In referring to it as the earliest exposition of the laws of chance, M. Guerry says: on trouve des tableaux numeriques tout a fait analogues a celui qui termine le mémoire publié trois ou quatre siècles plus tard par Galileo sur le même sujet (p. xx).

430-439 Since each die has six sides, and six different markings, the three dice involved have eighteen sides, of which only three can be on top in any throw. The larger and smaller numbers fall more rarely, the medium ones more often. The different combinations number fifty-six.

442 punctatura = marking on the dice.

447 Cf. Plate I

451 componibiles "arrangements"

435-459 When the throw shows two dice with similar markings, there are thirty different combinations possible; when all three are different, there are twenty. Since there are only six possible arrangements when all three are alike, the total is fifty-six.

464 Cf. Plate I

465-482 The fifty-six arrangements described above produce two hundred and sixteen *scemata cadendi.*

483 Cf. Plate II

485 brevibus (verbis).

489-490 If you play the game honestly, the chances of winning are against you; if you cheat, you may start a disastrous quarrel.

493-495 Cf. *A.A.* III. 373-376 for a similar sentiment, though couched in different words.

504 discolus = morosus, as in the title of the recently-found play of Menander. Boethius (*Disc. Schol. P.L.* 64 col. 1227) derives the word as follows: quasi schola divisus, quasi vocatione divisus.

509 Between this vs. and 510 V introduces into the text a gloss from Ovid *A.A.* I. 451. This is found also in some of the other fourteenth-century mss. e.g. Auxerre and Göttingen.

514 A refrain of warning repeated from 496 and 501.

517 The gains and losses cancel.

519-552 Perhaps suggested by *Trist.* II. 417-480. The *ludus aleae* is less deserving of condemnation than the use of dice in gambling previously described. However, it is not approved by the author for the reason given in vs. 568.

525-526 In contrast to the use of dice for gambling, which depends upon *sorte* not *arte.* Cf. Thomas Aquinas *De Reg. Princ.* IV. 20 ut non arte vel sortialiter.

536 Solivage-"wandering singly".

546 reciprocet = iterare, repetere (Du Cange)

600 For varying statements concerning the origin of chess cf. Murray, *A Hist. of Chess,* p. 501. "The statement that chess was a Trojan invention obtained wider currency from its occurrence in the *Historia Troiana* of Guido of Colonna in the thirteenth century." Our author follows Alexander Neckam *De Nat. Rerum* Bk. II ch. clxxxiv (Wright p. 324) in ascribing its origin to Ulysses. Cf. also Isidore *Etym.* XII. 60: Alea id est lusus tabellae inventa a Graecis in otio Troiani belli a quodam milite alea nomine.

602 treuge = truce.

615-621 Murray (*op. cit.* p. 507) characterized the *Vetula* version of chess as "very close to the moralities, in that it attempts a complete explanation of chess as symbolic of the motions of the heavenly bodies."

623 In other mediaeval accounts of this game the piece here called *virgo* is designated as *regina* or *dama.* Davidson *(A Short Hist. of Chess,* pp. 29-30) notes that the Arabic term *firz* became *fers* in Europe, then *fierge,* and, by similarity of sound, *vierge* in France. The use of *episcopus* for *aufin* is rare in Continental chess (Murray, *op. cit.* p. 508). More conventional designations of these pieces occur in the anonymous *De Scaccis,* a twelfth-century composition found in a number of manuscripts.

624-634 Murray (*op. cit.* p. 507) summarizes this passage thus: Of the six chessmen, three leap into the first field and three into the second; rex, pedes, virgo leap into the first; virgo goes aslant, pedes in a direct line, rex combines two moves; rex and virgo can go forwards and backwards, the pawn forwards only, except that he takes the diagonal forwards. When he reaches the end of the board, he is given the virgo's leap. In the second field, leaps the rook, aufin, and knight. The rook goes in a straight line and alone has no limit to his leap, but can move for a shorter or greater distance than to the second square. The aufin leaps aslant; the knight combines both moves.

635-649 See Murray's comment quoted above on vss. 615-621.

651-653 The author repeats his familiar warning against playing any game with *lucrum* as the motive.

660 *A.A.* III. 353 parva monere pudet.

662-663 *Ibid.* III. 365 Parva tabella capit ternos utrimque lapillos.

672 rithmimachia) a treatise on this subject is listed in the *Biblionomia* of Richard de Fournival (Delisle, *op. cit.* II. 577). It is found along with the *De Vetula* in the Montpellier manuscript. Roger Bacon in *Communia Mathematica* (Steele, XII. p. 48) gives a summary of the game which he describes as: hic ludus sapiencie vocatur Rithmimachia id est numerorum pugna. Cf. also D.E. Smith, *History of Mathematics* (I. 198).

684 Boethius, *Arith.* I. 24 (*P. L.* 63. col. 1101): Superparticularis vero est numerus ad alterum comparatus quotiens habet in se totum numerum et partem eius partem. Steele in a note on Bacon *Summa Dialectice* (*Opera* fasc. XV, p. 364) explains the term thus: The ratio between a whole and its part to a whole e.g. 1½:1, 1¼:1, 3:2, 4:3, 5:4.

Multiplex superparticularis is the ratio of several wholes and a part to the whole: e.g. $2\frac{1}{2}$:1, $2\frac{1}{4}$:1, 5:2, 7:3, 9:4. Superpartiens is the ratio of a whole and several parts to a whole e.g. $1\frac{2}{3}$:1, $1\frac{3}{4}$:1, $1\frac{4}{5}$:1, 5:3, 7:4, 9:5.

700-706 Boethius, *op. cit.* II. 24 (*P. L.* 63 col. 1131): Perfecta est pyramis quae a qualibet basi profecta usque ad primam vi et potestate pyramidum pervenit unitatem. Sin vero a qualibet basi profecta usque ad unitatem altitudo illa non venerit, curta vocabitur. Recteque huiusmodi pyramis tali nuncupatione signatur si usque ad extremitatem punctumque non venerit.

710 Cf. Plates III-IV.

713 Bacon *Secr. Secretor.* (*Opera* V. pp. 2-3): mathesis est doctrina latine, vel disciplina sicut Cassiodorus docet in libro *De Scientiis Secularibus:* mathesis media producta et aspirata in secunda. In this verse the penult is short *metri causa.*

719 Cf. John of Salisbury *Policrat.* (Webb I. 586 b) Sententia vel opinio philosophorum evanuit dum sic omnes post divitias currant.

728 Scholium: gignasia dicuntur loca ad studiorum exercitia detracta vel accommodata.

731 Bacon, *Secr. Secretor.* (*Ibid.* p. 165): phisionomia humani corporis id est, de arte cognoscendi qualitates hominum secundum partes exteriores.

739 Scholium: genus mathesis nominat Ptholomaeus genus doctrinale.

759 philopecunia) this word is quoted in Du Cange from this passage alone; *vide supra* p. 2, Notes 6, 7.

776 Scholium: i.e. cara a caristia vel a carimonia.

777 Scholium: i.e. cara a caritate vel a delectione.

796 *R.A.* 389 livor edax.

806 Scholium: anabatra dicuntur vel ornamenta cathedre ipsius vel etiam gradus theatri. Cf. Juv. VII. 46 pendent anabatra tigillo. The only use of this word in classical Latin, where it is interpreted to mean the tiers of seats in the theatre rising from the scaffolding (tigillo). Du Cange quotes this verse from the *Vetula* as his only examples in mediaeval Latin.

838 The science of almucgrabala was introduced to western Europe in the *Abacus* of Leonardo of Pisa in 1202; the use of the Arabic term *algebra* by Robert of Chester (Haskins *Med. Science* p. 122; Karpinski, p. 10).

NOTES

LIBER II

4-5 *om.* in 1534 edition.

5 cognoscere *vide supra* I. 238

8 semiviros cf. *Fast.* IV. 183

13 Scholium: syphac est panniculus intestinam circumdans.

14 oscea "scrotum" (Baxter and Jonhson 1248).

17 Scholium: hernia est cum aqua descenderet ad testiculum vel a stomacho per intestinam vel ab epate per renos et qui herniosus est dicitur ponderosus.

44 Albertus Magnus *Physica* II. Tract. III. ch. 3 (*Opera* III. p. 166) monstra enim sunt peccatum illius quod in natura est propter aliquid.

45-155 The eunuch is proved to be a *monstrum* from the standpoint of the seven *Artes Liberales.*

49 Scholium: genitivum i.e. vim generativam.

51 Scholium: ablativus raptor est; Scholium: dativus non liberalis.

59-66 Mart. Cap. IV (*De Arte Dialectica*) 344-345 defines and discusses *genus* and *species.*

69 Scholium: themate genitalibus.

67-73 Mart. Cap. V (*De arte Rhetorica*) 439 officium vero meum est dicere apposite ad persuadendum.

71- Scholium: non habet personam standi in iudicio qui dispersonatus est.

81 While *motus, numerus* and *mensura* are discribed in Mart. Cap. VII (*De Arithemtica*) 736, 743, 750, *sonus* is found in treatise IX (*De Harmonia)* 931.

85 Scholium: hec est immunda musica.

107 A. Neckham *Rer. Nat.* Bk. II. ch. clix (Wright, p. 265): ut docet Aristoteles mula sterilis est. Concipere quidem non potest tum propter angustos matricis meatus, tum propter formam matricis.

118 ethici (philosophi) cf. R. Bacon, *De Vic.* (Steele p. 8).

119 Cic. *Tusc.* II. 32 Scis igitur... virtutem si unam amiseris... nullam esse te habiturum.

137 legis positive *vide supra* I. 230.

150 holocaustum cf. Hieron. *Comm. in Ezech.* XIII. 45 (*P.L.* 25 col. 473) Holocaustum vero est quod totum offertur Deo et sacro igne consumitur.

154 This proverbial expression occurs in classical authors with the verb *eicere* rather than *retundere* cf. Cic. *Tusc.* IV. 75.

159-160 Scholium: Plato cum legeret librum Moysi dixisse dicitur, "mirum est de isto philosopho; omnia supponit, nihil probat."

161 gens credula) Scholium: Iudeorum et hodie Christianorum.

168-169 Scholium: Hec erat forma verborum (hereditionis): Deus det tibi de rore cibi et de pinguidine terre etc. *(sic).*

170-183 Vulgate *Gen.* 27. 10-40.

187 examen = exemplum.

201 *R.A.* 90 laesuro subtrahe colla iugo.

212 instantia) nom. sing. "evidence" (of Nature's bounty)

229 *Am.* II. 4. 32 Illuc Hippolytum pone, Priapus erit.

237 sigillatim = passim.

243-311 Although some of these marks of feminine beauty occur in classical poets, for the most part, they seem to represent the views of mediaeval authors. Similar canons of beauty are found in Geoffroi de

Vinsauf, *Poetria Nova* (Faral, *Les Arts Poetiques,* p. 214) in the *Architrenius* of John of Hautville (Wright, *Anglo-Latin Poets* pp. 253-256), and in the *Ars Versificatoria* of Matthew of Vendôme (Faral, *op. cit.* pp. 129-130).

253-254 *Met.* IV. 354-355 ut eburnea siquis Signa tegat claro vel candida lilia vitro.

254 Scholium: cinus est alba spina.

263 *Met.* XIII. 789 candidior folio nivei/Galatea ligustri; Mart. I. 115. 2-4 candidior puella cigno, argento, nive, lilio, ligustro.

265 Scholium: speculatores comparatio namque oculi ad corpus est propinqua comparationi speculatoris ad exercitum. Verba sunt Gallieni.

274 *Met.* XIV. 95 naresque a fronte resimas.

276 *A.A.* I. 521 Nec male odorati sit tristis anhelitus oris.

281 *Am.* II. 5. 37 Quale rosae fulgent inter sua lilia mixtae.

292 Maximianus I. 92 modicumque tumentia labra.

310 tornatilis "well-rounded" *A.A.* I. 622 teretes digitos *Piram. et This.* vs. 46 (Faral, p. 332) ampla vola digito longa, sed ungui brevis.

314-315 *Met.* I. 502 siqua meliora putat.

319-320 *Am.* I. 5. 20 Forma papillarum quam fuit apta premi.

325 All but *M* of the basic mss. read *trophio; strophio* is also found in Prague, as well as in the 1534 and 1610 editions. Du Cange: *strophium,* ceinture. Cf. Cat. 64. 65 where the word means a brassiere and not a girdle.

344-345 *Her.* IV. 15 ut nostras avido igne medullas.

349 Hor. *Sat.* I. 2. 96 vallo circumdata.

351 *mediatrix* is the *conscia* who plays an important part in erotic poetry of the Augustan Age.

361 *Met.* X. 438 male sedula nutrix.

385 *A.A.* I. 453 Hoc opus, hic labor est, primo sine munere iungi.

390-391 Scholium: capra vini est quantum pellis capere potest de vino; perna est dimidia pars porci.

392 The *pellicium* was worn by both men and women in the twelfth century. It was fur-lined, with or without sleeves; women might wear it "when in a state of undress with or without the chemise" (Holmes, *op. cit.* 161).
Scholium: subareus proprie dicitur cortex subareus; vero arbor est valde corticosa, levissimum habens lignum de quo fiunt soleae sotularium matronarum.

393-396 The length of the chemise, which Holmes says "trailed to the ground" (*op. cit.* 163) is indicated in these verses.

426-428 In the twelfth century, ladies usually slept together on an upper floor, but the ground floor was sometimes divided into small rooms, which were accessible from the entrance vestibule (Holmes, *op. cit.* 95, 179).

440 Holmes's remarks on the infrequency of baths (*op. cit.* 166) finds confirmation in the *modicum,* and is an indication of conditions at the time the *Vetula* was composed rather than in the Augustan period. Haskins (*Hist. of Med. Science,* p. 257) in commenting upon the scandal of Frederick II's Sunday bath, remarks "One is reminded of the slander on the Middle Ages as 1000 years without a bath."

443 Avicenna *De Renovendis Nocumentis,* Tract. VI. p. 1099-2000 (Venice, 1582): misceantur eorum sorbitiones et iura cum vino, sorbeat iura carnium...pulverizetur super eo aliquid modicum de muscho (musto) ...et bibatur (*De nocumento coitus plurimi).*

445 According to Holmes (*op. cit.* 313 n. 48), the clock of Neckham's time has "some sort of falling weight", which could be regulated to arouse a person at a particular time. This twelfth-century "alarm clock" is what our author seems to have had in mind.

458 *sero* is used as a substantive; paranomasia with *seram* (459).

465 *vecto remoto* reflects the custom of having the outer door locked by a bar or beam held in place by two metal slots (Holmes, *op. cit.,* 102).

473 *Met.* XI. 376 Sed mora damnosa est.

484-485 *Met.* III. 278 Ipsaque erat Beroe, Semeles Epidauria nutrix.

493-494 i.e. sixteen years old.

502 *A.A.* III. 273 scapulis...altis

508 *marcida* is used to describe withered lilies in *Met.* X. 192.

512 Continui (me).

526 *vindicta* is a feminine noun.

533 Isidore *Etym.* IV. 8. 11 Lepra vero asperitas cutis squamosa.

535 Cf. Hor. *Sat.* II. 4. 56 pingue...merum, where the adjective denotes a "thick" wine used in cooking.

537 Avicenna *Cantica* (Paris, 1956) Part I. 382-445 is devoted to a discussion of fevers. Cf. aut si quiescat et cesset febris absque crisi (p. 445).

538 *Ibid.* 443 Et si frigiditas sit in manifesto...et calor fuerit interius.

544 Isidore *Etym.* IV. 7. 12 Coryza est quotiens infusio capitis in ossa venerit narium; IV. 8. 11 Sanies dicitur quae ex sanguine nascetur.

545 *Ibid.* IV. 7. 29 phlegma quotiens descenderit in recta vasa et efficitur ibi glutinatio.

555 *Am.* III. 12. 7 nostris innotuit illa libellis.

567 Scholium: in partibus illis pro hereditate paterna tenenda.

582 *A.A.* II. 665. Praecipue si flore caret.

585-586 Scholium: Regia Solis qui fuit capella palacii maioris. Qui fuit Rome et palacium Ovidii viderit illam viam cognoscet et videtur quod ista domina staret versus pontem qui hodie dicitur pons Bartholomei. This is the bridge which connects the Isola Tiberina with the Forum Boarium. Ovid's home was on the Capitoline (*Trist.* I. 3. 29-30)

594 John of Salisbury, *Met.* IV. 7 (Webb. p. 183) due pedisseque.

595 iocalia "trinkets".

600 Scholium: nota quod sic facete pediseca mercatores usurarios nuncupavit.

619 Scholium: proverbium vulgare.

717-722 The poet's mental processes are harder to follow than usual in this passage.

728 Maximianus I. 200 sapiens desipit.

NOTES

LIBER III

3 Virg. *Aen* III. 215 carpit vires...femina

14 Lucem doctrine = sapientia. *Vide supra* I. 113

17 Cf. Cic. *Arch.* 16.

21-33 Cf. R. Bacon *Secret. Secretor. (Opera,* Fasc. V. p. 3): Et hec mathematica continet quatuor sciencias, scilicet, Geometrica, Arsmetricam, Musicam, Astrologia, sub qua Astrologia, Astronomia.

23 *Vide supra* I. 839.

24 *Vide supra* I. 672 and Note.

42 *Met.* I. 72-73; Plato *Rep.* 508.

48-49 Scholium: Augustinus in libro retractionum inter cetera retractat quod dixerat in VI[e] Musica: planetas animales esse anima rationali, dicens quod non retractabat quia scire esse falsum, cum nesciret. I find no mention of planets in the *De Musica.* In *Iib. Retract.* I. xi (*P. L.* 32 col. 602) Augustine refers to a similar statement he had made in the *De Immortalitate Animae* and adds: temere dictum non quia hoc falsum esse confirmo, sed quia nec verum esse comprehendo quod sit animal mundus.

50-52 Cf. Albertus Magnus *De Caelo et Mundo* Bk. II. Tract. III. ch. xi *(Opera,* IV. p. 197): quorum motus unus est et velox; quaedam sunt quorum motus multiples est et tardus vocatur.

55 Mart. Cap. VI. 711 diametra est directa linea...quae orbem aequalibus partibus dividit.

63 Hor. *Serm.* II. 1. 77 invidia...quaerens illidere dentem.

72-74 Macrob. *Som. Scip.* I. 14. 9 rationem id est vim mentis .. homo et rationis compos est et sentit et crescit solaque ratione meruit praestare ceteris animalibus.

76 *Ibid.* I. 14. 6 Deus qui prima causa et est et vocatur unus omnium... princeps et origo est.

81 idiomalis...questio "hypothetical question".

83 *Met.* I. 85 Os homini sublime dedit ut caelumque videre/Iussit.

87 principiare = praeesse (Du Cange).

105-116 Abelard *Introd. ad Theol.* III, p. 118: Quis quomodo summum [deum] diceretur nisi ceteris praecelleret bonis? Quod vero omnibus aliis praecellit, unum profecto et unicum esse convenit.

119 The Christian virtue is contrasted with Aristotle's view. Cf. Bacon *Op. Maius* VII (Vol. II p. 255): Ostendit Aristoteles in primo Ethicorum quod virtus est duplex. The *Nichomachean Ethics* of Aristotle are cited in translation by William of Auvergne before 1248 (*Ibid.* n. 2).

124-125 Cf. Grossteste *De Virtute* (Baur IX. p. 371) Quod necessario alique est virtus primitus causalis et activa.

132-182 For a comparison of this passage with the *De Luce* of Robert Grossteste (Baur IX. p. 51) see A. Birkenmajer, (*Med. et Hum.* V pp. 36-41). Birkenmajer notes that the author of the *Vetula* (whom he assumes to be Fournival), gives no hint that light expands of its own self-multiplication, which "is one of Grossteste's favorite ideas, shared enthusiastically with Roger Bacon" and that he emphasizes "the active nature of light, without going into the mechanics of its propagation." He adds "Yet the agreement between the two writers stands out all the more sharply... at the heart of the question where it is argued that the world arose out of inexhaustible, primordial matter and the *prima lux* which gave it form." (pp 40-41).

136-137 Cf. Birkenmajer, *loc. cit.* "For nothing can at the same time have magnitude (*quantum esse*) and be finite, but whatever has limits (or is finite), must have a form."

150-155 The world consists of two parts: the inner (*pars interior*), which is earth, dense, quiescent; the outer, delicate (*subtile*), and mobile. The inner part has more matter and less light; the outer has more light and less matter." (p. 38)

161 tunicatim) Du Cange gives this reference to the *Vetula* as the only authority for this form, which he defines as *ad instar tunicae.*

164-170 Cf. Grosseteste's *De Sphaera* (Baur IX. p. 11) for a diagram of the planets in the same order as that given in the *Vetula.* For a summary of differing views on this subject cf. Albertus Magnus *De Caelo et Mundo* Bk. II. Tract. III ch. xi (Opera IV, pp. 195-196): omnes antiqui usque ad tempora Ptolemaei consensisse videntur quod sphaerae fuerunt octo, quarum superior sit sphaera stellarum fixarum et secunda Saturni et tertia Jovis et quarte Martis, quinta autem Veneris et sexta Mercurii et septima Solis et octava Lunae. Hiis autem et ipse Aristoteles videtur assentire...quos autem sequens Alphraganus sphaeras coelorum octo esse dicit...Veniens post hos Alpetragius ...probat plures esse sphaeras quam octo...Ptolomaei sententia autem ...est quod decem sunt orbes coelorum...Fuerunt quamplures philosophi qui tot sphaeras quot sunt stellae, inter quos novissimus fuit Moyses Aegyptius. Cf. also the discussion by Stahl in *Isis* 50, p. 114.

172 For the function of the *primum mobile* cf. Thorndike, *The Sphere of Sacrobosco,* p. 47.

174 materie radix "essence of matter" (Birkenmajer, *loc. cit.*)

175-177 "Light is the principle of motion, acts on the firmament in such rapid motion that it revolves completely in one day. This rapid motion communicates itself to other heavenly spheres." (Birkenmajer, *loc. cit.*).

192 Where our author has *equidialis,* both Grosseteste (*op. cit.* pp. 16-18) and Bacon (*Opus Maius, Pars* IV, Vol. I 288) have *equinoctialis.*

198 Grosseteste, *op. cit.* p. 14: zodiacus vocatur a zoas, quod est animal eo quod eius partes imaginibus sunt insignitae nominibus animalium nuncupatis. Bacon *Compotus* (*Opera Inedita* Fasc. 6, p. 213) defines and discusses the zodiac with relation to the planets.

201-211 Scholium: hoc secundum opinionem Alpetragi, qui posuit orbes planetarum non moveri motu contrario motui primo, sed reliqui ab eo. Hic motus vocatur motus incurvationis. The author of the *Vetula* may have known the *De Sphaera* of Alpetragius from the translation of Michael Scot (1274). Cf. Haskins, *Med. Scien.* p. 273. Cf. Stahl, *Rom. Scien.* p. 183 for the views of Martianus Capella "that the planets are not really moving with a contrary motion, but are unable to keep up with the speed of the celestial spheres and are being outdistanced, some rapidly, some slowly." Cf. also Grosseteste, *De Fin. Mot.* Baur. IX, pp. 101-106.

229-261 The conception of man as a microcosm was known to Isidore of Seville (*De Nat. Rer.* 9, 2-3). Cf. also Grosseteste's short treatise *Quod homo sit minor mundus (Opera* IX, 59); Kranz, *Kosmos II.* 167-176.

233 Grossus = dives (Du Cange).

235 Epar *vide supra* II. 490. The precise use of physiological terms in this passage has lent support to the belief that Fournival was the author of this work. *Vide supra* Introduction p. 6.

243 stomachusque cocus) Pseudo-Ovidian *De Ventre* 163-164; meque ministrum......et dedit esse cocum. F. W. Lenz ed. *Maia,* Nuov. Ser. Fasc. III (1959) p. 19.

244 Scholium: Verba Ptolomei Sol est origo virtutis vitalis, Luna virtutis naturalis, Saturni retinentis, Jupiter vegetabilis, Mars ire civilis, Venus voluntarie, Mercurius discretive.

246-253 For a similar comparison cf. Guillelmus Parisiensis, *De Universis* Pt. I (*Opera Omnia,* I. p. 656): Quidam enim ad similitudinem quorundam partium humani corporis planetas in mundo posuerunt: lunam cerebrum, solem cor, mercurius linguam, venerem genitalia, martem fel, jovem epar, saturnum splen. This tract was composed between 1228-1249.

262-264 Isidore *Etym.* IV. 5: Sic enim quattuor sunt elementa sic et quattuor humores et unusquisque humor suum elementum imitatur; sanguis aerem, cholera ignem, melancholia terram, phlegma aquam.

264 melia = melancholia.

278 famulatus = officium servientis (Du Cange).

279 Scholium: Nota quod ista appropriatio raro invenitur apud dominos astronomie.

289-293 Grossteste, *De Sphaera* p. 28 Evenitque de necessitate quod cum medius motus lunae opponitur medio motui solis, occurrit centrum epicycli augi excentrici. *Ibid.* p. 23. Sole autem existente in oppositione augis per quinque gradus est terrae propinquior quam quando est in auge.

295 Thorndike. *op. cit. (vide supra* Note 172) refers to the work of Thebit ben Cora on the theory of access and recess, which was known to Grossteste.

301 Scholium: Numquam inveni nisi hic quod nonum celum appropriatum sit speciei humane.

305-307 *Met.* I. 76 animal mentisque capacis altae; Macrobius, *Somn. Scip.* I. 49. 9-11 quam formam humanam diximus solam mentis capacem; soli ergo homini rationem...homo et rationis compos est et sentit...meruit praestare ceteris animalibus.

317-330 Albertus Magnus *De Nat. et Orig. Anim.* (*Opera* IX. p. 415): Nuper autem novellum dogma quorundam apparuit omnem animam animalis...dicens esse separabilem a corpore et manere post mortem.

336-343 Cf. Grossteste, *De Fin. Mot. et Temp. (*Baur, IX. 103). Tempus non fuit sine motu...ita tempus fuit sine initio et erit sine fine. Sed non est tempore sine motu...ergo motus est perpetuus.

340-346 In certain mss. an alternative form appears (*vide supra* Introduction p. 35 and text). It will be noted that this passage substitutes for *finibilis* and *durabilis* of the original the adjectives *perpetuus* and *aeternus.* Bacon (*De Vic.* p. 11) uses the latter words in a similar discussion. Cf. also Grossteste, *Note* on 336).

340-343 Macrob. *Somn. Scip.* I. 17. 8 Igitur et celeste corpus ...ne umquam vivendo deficiat, semper in motu est, et stare nesciat quia nec ipsa stat anima qua impellitur. Cf. John of Salisbury *Enthet.* V. 845 (*P.L.* 199 col. 983): aeternum mundum statuit tempusque coaevum.

344 Albertus Magnus *Physic.* Bk. IV. Tract. III. ch. 10 (Opera III. p. 326): Quoniam tempus est metrum sine mensura motus, tunc oportet etiam quod sit mensura eius quod movetur secundum quod refertur ad motum. ad motum.

354-370 The theory of the immortality of the soul, based upon the continuity of motion, as derived from Plato's *Phaedrus,* is discussed in Cicero's *Tusc.* I. 53-55, *Somn. Scip.* 19-20, and in Macrobius's

Com. on Somn. Scip. II. 13. 10-12. The followers of Averroes believed that the soul was immortal, but that it did not return to the body; the anti-Averroists included Albertus Magnus and St. Thomas Aquinas.

372 Albertus Magnus *Physic.* Bk. VII. Tract. I. ch. 3 (*Opera* III. p. 526): Dicimus igitur ex supradictis quod motus est endelechia, hoc est perfectio mobilis.

375-377 *Ibid.* p. 524 Impossible autem est generationem et corruptionem esse nisi sit motus.

382-387 Lactantius, *Inst. Div.* VII. 23 (*P. L.* 6. col. 804): non igitur renascentur, quod fieri non potest, sed resurgent...et prioris vitae factorumque omnium memores erunt, et in bonis coelestibus collocati.

395-398 *Met.* I. 256-258.

411-425 Vulg. *Eccles.* XII. 2-7

434-437 *Trist.* IV. 6. 49-50: Una tamen spes est, quae me soletur in istis Haec fore morte mea non diuturna mala.

440 *Ibid.* III. 10. 11 Dum prohibet Boreas et nix habitare sub Arcto.

441-442 *Ibid.* IV. I. 67 Vivere quam miserum est inter Bessosque Getasque.

451-462 Cf. Albertus Magnus *De Nat. et Orig. Anim.* Bk. I. Tract. II. ch. 7 (*Opera* IX. pp. 414-415): Omnes enim Socratis et Platonis et Speusippi et Academiae dogmata sequentes, et animas hominum ad stellas compares redire dixerunt...Pythagoram autem sequentes, dixerunt animas transcorporari, quod et Plato aliquando sensisse videtur...Sequentes autem Anaxagoram ex omnibus hominum animabus nihil relinqui dixerunt nisi lumen intellectus...Avicenna autem et Algazel et alii quidam dicunt animam humanam post mortem converti ad lucem intelligentiae agentis.

455-457 The author tries to reconcile statements of the Ovid of the Augustan period with those of thirteenth-century astronomers and philosophers.

470-487 The properties of the planets as described in this passage are found in a number of contemporary writers, e.g. Robertus Anglicus (Thorndike, *Sphere of Sacro Bosco,* p. 155), Roger Bacon (*Op. Maius* I. pp. 377-378 and *De Vic.* Fasc. 1 p. 42.)

488-495 Pseudo-Albertus Magnus *Spec. Astron.* (*Opera* IX, p. 644): Invenies apud Albumasar domus quoque nona vocatur; est domus peregrinationis et motus fidei atque bonorum operum propter reversionem ad Jovem.

502-512 *Ibid. loc. cit.* Jupiter et Venus sunt fortunae aut duae species, quarum una est fortuna huius mundi, et altera fortuna futuri saeculi... et facta est Veneris significatio super fortunas huius mundi ex ludis et gaudio atque laetitia. Bacon *De. Vic.* p. 42 dicunt Venerem significare super fortunas huius vitae, quantum ad ludos et gaudia et laeticiam et huiusmodi.

522-524 Bacon *Ibid.* p. 43 volunt igitur philosophi Jovem ex sua coniunctione cum aliis planetis signare super sectam religionis et fidei.

527-533 *Ibid. loc. cit.* Si Jupiter complectatur Saturno, signat libros divinos, et signat de sectis Judaicis. Si vero Jupiter complectatur Marti, tunc dicunt ipsum signare super legem Caldaicam.

535-536 *Ibid. loc. cit.* Si Soli [Jupiter complectatur] signatur lex Egyptia, que ponit coli miliciam celi, cuius princeps Sol est.

539 Scholium: post ea longo tempore scripsit eam Mohametus in libro qui dicitur Alchoran.

544 Scholium: corruptio motus lune significat instabilitatem, sicut dicunt autores.

554-558 Bacon *Ibid.* pp. 45-46: Si vero complectatur [Jupiter] Mercurio, tunc est lex Mercurialis...Et dicunt quod lex Mercurialis est difficilior ad credendum quam alie, et habet multas difficultates supra humanum intellectum.

566-568 *Ibid. loc. cit.* quia Mercurius...tanta potestate eloquentie defendetur quod stabit semper in robore suo donec ultima lex Lune perturbet eam ad tempus.

594-599 Albertus Magnus *De Caus. et Propr. Element.* Bk. I, Tract. II. ch. 2 (*Opera* IX. p. 603). Et probatum est quod duae stellae Saturni et Jovis vicibus duodecim coniunguntur per medium motum suum in una triplicitate...quod tunc accidit mortalitas et depopulatio et ideo per ducentos et quardringentos annos.

601-605 *Ibid. loc. cit.* Inveniuntur autem etiam stellae esse causa annorum sterilitatis et ubertatis...Saturnus et Jupiter in uno puncto alicuius in celo quod tunc accidit mortalitas et depopulatio ita quod regna evacuantur.

610 *Ibid. loc. cit.* dodecies autem viginti sunt ducenti et quadraginta anni, et ideo per ducentos et quadraginta de viginti in viginti coniunguntur semper in tripicitate una.

612 Bacon. *De Vic.* p. 50 Et una major vel fere maxima fuit vicesimo quarto anno Augusti Cesaris, quam dixerunt sapientes astronomi significare super legem Mercurialem futuram.

614-619 *Ibid.* p. 49 Et ideo hac causa dicunt legem Mercurialem debere esse sectam prophete nascendi de virgine; et ideo hec secta Mercurialis ponitur ab eis esse lex Christiana.

626-633 Pseudo-Albertus Magnus, *Spec. Astron.* Ch. XI (*Opera* X. p. 644) In tractu sexto differentiae primae [Albumasar] in capitulo de ascencionibus imaginum est virgo pulchra atque honesta et munda prolixi capelli et pulchra facie, habens in manu sua duas spicas et ipsa sedet super sedem etnutrit puerum dans ei ad comendendum jus. Cf. also Bacon, *De Vic.* pp. 8-9).

634-635 Grossteste, *Summa Philos.* (Baur. IX. p. 275): Philosophantes primi fuerunt Caldaei a tribus filiis Noe sanguine vel institutione originem trahentes. Quorum prior id est Sem teste Albumazar astrologie primus operam dedit; Augustine *Civ. Dei* XVI. 2 Sem quippe de cuius semine in carne natus est deus.

642-643 Bacon, *op. cit.* p. 52 Et tunc erunt anni Grecorum perfecti trecenti et novem menses, et fere decem et octo dies, quod potest probari per tabulas annorum.

680-690 These verses reflect the concern of thirteenth-century scholars with the problem of the omnipotence of God.

708-710 Bacon, *De Vic.* p. 41: Et non solum prophete sancti sed gentiles, ut Cibille vaticinantes, qui expresse loquuti sunt de Christo et secta Christiana. Augustine (*Civ. Dei* XVIII. 23): Haec autem Sibylla sive Erythaea sive, ut magis credunt, Cumaea.

727 These words reflect the supremacy of Aristotelian philosophy in the thirteenth century. Cf. Easton, *Roger Bacon* pp. 34-39.

728-736 Albertus Magnus, *De Caelo et Mundo* Bk. I. Tract. I. ch. 2 (*Opera* IV. p. 26): Et iste numerus .... significat trinitatem rerum naturalium. Nos vero non extraximus hunc numerum nisi ex natura rerum....adhibuimus nos ipsos magnificare sacrificiis et cultu Deum unum secundum istum numerum (Note the use of *extrahere* and *adhibere* as in the *Vetula.).* Substantially the same quotation occurs in Bacon, *Secret. Secretor.* (*Op. Ined.* V. p. 37).

733-734 Cf. Abelard, *Theol.* X col. 1318A: nec ideo tres dei sunt aut plures sed unus solum modo Deus in tribus personis.

736 Bacon *De Vic.* p. 7: aliqui minus zelantes pro philosophia dicere presumunt.

755 Bacon, *op. cit.* 36: Quia intellectus noster se habet ad ea que sunt manifesta in natura usa velut oculus vespertilionis ad lumen solis.

773 The *Tobias* of Matthew of Vendôme (*P. L.* 205 cols. 979-980), also ends with an invocation to the Virgin; there is no striking similarity in the phraseology of the two passages.

777 Augustine, *Civ. Dei* VII. 31 qui est unicus filiusque pro nobis adsumpta carne nato atque passo. *Ibid* XII. 16 virgo Maria in qua carnem Christus ut homo esset adsumsit.

BIBLIOGRAPHY

Abelardi, P. *Theologia Christiana (Opera Omnia,* Paris, 1859) vol. II.

Afnan, S. M. *Avicenna, his Life and Works,* London, 1958.

d'Ailly, P. *Tractatus contra Astronomos* (in J. Gerson, *Opera Omnia,* Antwerpen 1716) I. App. 778.

Albertus Magnus *Liber Physicorum* (*Opera Omnia,* Paris 1890) vol. III.
De Caelo et Mundo (Ibid. vol. IV).
De Causis et Proprietatibus Elementorum (Ibid. vol. IX).
De Natura et Origine Anime (Ibid. vol. IX).
De Causis Universis (*Ibid.* vol. X).

Pseudo-Albertus Magnus *Speculum Astronomicum* (*Ibid.* vol. X)

Petri Allegherii super Dantis Ipsius Genitoris Comoediam Commentarium ed. V. Nannucci, Firenze, 1845.

d' Alverny, M. T. "Notes sur les traductions medievales d'Avicenna" *Archives d'Histoire Doctrinale et Litteraire du Moyen Âge* XIX (1952) 337-358; *Ibid.* XXVIII (1961) 281-316.

Aquinas, Saint Thomas, *Opera Omnia* (New York, 1950), vol. XVI.

Avicenna (Ibn Sina) *Liber Canonis, de Medicinis Cordialibus, Cantica, De Renovendis Nocumentis in Regimine Sanitatis* (Venice: Apud Iuntas, 1582).
Poeme de la Medécine (Texte Arabe, Traduction Française Traduction Latine du XIIIe Siècle) H. Jahier-A Noureddine, Paris, 1956.
Avicennae Metaphysices Compendium (ex Arabo Latinum reddidit N. Carame) Rome, 1926.

Bacon, Roger *Opus Maius* (ed. J. H. Bridges) vol. 5. I-II Oxford, 1897.'
De Viciis Contractis in Studio Theologie (Opera Hactenus Inedita ed. R. Steele) Fasc. l. Clarendon Press, 1920.
Compotus op. cit. Fasc. 6. *De Secretis Secrotorum Ibid.* Fasc. 5.
De Scientiis Secularibus Ibid. Fasc. 5.
Communia Mathematica Ibid. Fasc. 12.
Summa Dialectice Ibid.

Battaglia, S. "La Tradizione di Ovidio nel Medioevo", *Filologia Romanza,* VI (1959), 185-224.

Baxter, J. H. and C. Johnson, *Mediaeval Latin Word-List,* Oxford Univ. Press, 1934.

Bignami J. et Vernet, A., "Les Livres de Richard de Bazoques", *Bibliothèque de l'Ecole des Chartes,* CX (1953) 124-153.

Birkenmajer, A. "Bibljoteka Ryszarda de Fournival" Polska Akademja Umiejetnosci, Wydzial Filologiczny, Rozprawy LX. 4 (Krakow, 1922).
"Robert Grosseteste and Richard de Fournival", *Medievalia et Humanistica* V (1948), 36-41.
"Le rôle jouè par les médécins et les naturalistes dans le recéption d'Aristote au XIIe et XIIIe siècles", *La Pologne au VI Congrès international des sciences historiques,* Warsaw, 1930.
„Robert Grosseteste and Richard de Fournival", *Medievalia et Humanistica* V (1948), 36-41.

"Pierre de Limoges, Commentateur de Richard de Fournival", *Isis* XL (1949), 18-31.

Bloch, E. *Avicenna und die Aristotelische Linke,* Berlin, 1952.

Bradwardine, T. *De Causa Dei* (ed. H. Savilius), London, 1618.

Burley, W. *De Vita et Moribus Philosophorum* (ed. H. Knust), Tübingen, 1886.

Bury, R. *Philobiblon* (ed. A. Altamura), Naples, 1954.

Callus, D. A. *Robert Grosseteste Scholar and Bishop (Essays in Commemoration of the 7th Century of his Death),* Clarendon Press, 1955.

Cocheris, H. *La Vieille ou les dernières Amours d'Ovide* (Paris, 1867).

Crombie, A. C. *Robert Grosseteste and the Origins of Experimental Science, 1100-1700,* Clarendon Press, 1953.

Davidson, H. A. *A Short History of Chess,* New York *1949.*

Delisle, L. *Cabinet des Manuscrits II* (Paris, 1874), III (Paris, 1881).

Du Cange, *Glossarium Mediae et Infimae Latinitatis* Vols. I-VI. Graz, 1954.

Duhem, P. *Le Système du Monde,* Paris, 1915.

Dykmans, M. *Obituaire du Monastère de Groendal dans le forêt de Soignes,* Brussels, 1940.

"Les premiers rapports de Pètrarque avec les Pays-Bas", *Bulletin de l'Institut Historique Belge de Rome* XX (1939), 102-122.

Easton, S. C. *Roger Bacon and his Search for a Universal Science,* Columbia Univ. Press, 1952.

Ehrle, F. *Historia Bibliothecae Romanorum Pontificum,* Rome, 1890.

Faral, E. *Recherches sur les Sources latines des Contes et Romans courtois du Moyen Age,* Paris, 1913.

Les Arts Poétiques du XIIe et du XIIIe Siècle, Paris, 1924.

Geanakoplos, D. J. *Emperor Michael Palaeologus and the West, 1258-1282. A Study in Byzantine-Latin Relations,* Cambridge, Mass. 1959.

Geoffroi de Vinsauf, *Poetria Nova* (ed. Faral), *Les Arts Poétiques* pp. 197-262.

Ghisalberti, F. "Mediaeval Biographies of Ovid" *Journal of the Warburg and Courtault Institutes* IX (1946), 10-51.

"Arnolfo d'Orléans. Un Cultore di Ovidio nel secolo XII", *Memorie Istituto Lombardo* Classe di Lettere, XXIV (1932), 180-234.

Goldschmidt, E. P. *Mediaeval Texts and their First Appearance in Print* (Supp. to Bibliographical Society's Transactions, 316), London, 1943.

Gregorian, A. "Discussioni intorno all' esilio di Ovidio a Tomi", *Atti del Convegno Internazionale Ovidiano* (Rome, 1959) II 315-323.

Grossteste, R. *De Finitate Motus; De Luce; De Sphaera; De Virtute; Summa Philosophia; Quod home est minor mundus* ed. L. Baur, *Die Philosophischewerke des Robert Grosseteste Bischofs von Lincoln* in *Beiträge zur Geschichte der Philosophie des Mittelalters* IX (1912).

Guillelmus Parisiensis *De Universis (Opera Omnia),* Paris, 1674.

Guerry, A. M. *Statistique Morale de l'Angleterre Comparée avec la Statistique Morale de la France,* Paris, 1864.

Haskins, C. H. *Studies in the History of Mediaeval Science,* Cambridge, Mass. 1927. *Studies in Mediaeval Culture,* Clarendon Press, 1929.

Holkot. R. *Praelectiones in Librum Sapientiae Salomonis,* Reutlingen, 1489.

Holmes, U. T. *Daily Living in the Twelfth Century,* University of Wisconsin Press, 1952.

Isidore de Seville, *De Natura Rerum* (ed. J. Fontaine), Bibliothèque de l'Ècole des Hautes Ètudes Hispaniques, Fasc. XXVIII (Bordeaux, 1960).

John of Salisbury, *Entheticus* (*P. L.* 199. cols. 965-1008).
Policraticus (ed. C. E. Webb-Clarendon Press, 1909)
Metalurgicon (ed. C. E. Webb-Clarendon Press, 1929).

Karpinski, L. C. "Robert of Chester's Latin Translation of the Algebra of Al-Khwarizmi", *Univ. of Michigan Studies (Humanistic Series) XI* (1915), 10-34.

Klibansky, R. *The Continuity of the Platonic Tradition during the Middle Ages,* London, 1939.

Kranz, W. "Kosmos", *Archiv. für Begriffsgeschichte,* Bd. 2 Teil 2 (Bonn, 1957).

Krueger, H. C. *Avicenna's Poem on Medicine,* Springfield, Illinois, 1963.

Lacombe, G. *Aristoteles Latinus* Vol. I (Rome, 1939).

Laurent, M. H. "Fabio Vigili et les Bibliothèques de Bologne", *Studi e Testi* 105 (1943), 56.

Långfors A. "Le Bestiare d'Amour en Vers par Richard de Fournival", *Mémoires de la Société néo-philologique de Helsingfors* VII (1924), 219-317.

J. Lefevre, *La Vieille ou les dernières Amours d'Ovide* (ed. H. Cocheris, Paris, 1867).

Lehmann, P. *Pseudo-Antike Literatur der Mittelalters,* Leipzig, 1927.
"Die Schriftstellerkatalog des Arnold Gheylhoven von Rotterdam", *Historisches Jahrbuch* LVIII (1938), 34-54.

Lenz, F. W. "Einführende Bemerkungen zu den Mittelalterlichen Pseudo-Ovidiana" *Das Altertum* vol. 3 (Berlin, 1959), 171-182.
"Das Pseudo-Ovidische Gedichte *De Ventre*", *Maia* (Nuov. Ser. Fasc. III) 1959, 169-211.

Link, T. "Der Roman d'Abladane", *Zeitschrift für romanische Philologie* XVII (1893), 215-232.

Manitius, M. Handschriften Antiker Autoren in Mittelalterleben, Leipzig, 1935.

Matthew of Vendôme, *Ars Versificatoria* (ed. Faral, *Les Arts Poetiques,* pp. 129-130).
Tobias (*P.L.* 205 cols. 979-980).

McCleod, W. "The *Consaus d'Amour* of Richard de Fournival," *Studies in Philology* XXXXII (1935), 1-21.

Monteverdi, A. "Ovidio nel medio evo", *Rendiconti delle adunanze solenni dell'Accademia nazionale dei Lincei V* (1957) 697-708.
"Anedotti per la storia della fortuna di Ovidio nel medio evo", *Atti del Convegno Internazionale Ovidiano* (Rome, 1959) II 181-192.

Mozley, L. H. "Le *De Vetula* poème pseudo-Ovidien" *Latomus* II (1938), 53-72.

Mozley, J. H. and Raymo, R. R., *Speculum Stultorum,* Univ. of California Press (Studies in English, 18), 1960.

Munari, F. *Ovid im Mittelalter,* Zürich und Stuttgart, 1960.

Murray, H. J. R. *A History of Chess,* Clarendon Press, 1913.

Neckam, A. *De Natura Rerum* (ed. T. Wright, *Anglo-Latin Poets,* Rolls Series, vol. 34), London, 1863.

Nogara, B. "Di alcune vite e commenti medievali di Ovidio", *Miscellanea Ceriani,* Milan, 1910.

de Nolhac, P. *Pétrarque et Humanisme,* Paris, 1907.

Pansa, G. *Ovidio nel medioevo e nella tradizione popolare,* Sulmona, 1924.

Paré, G. "Scolastiques et litteraires au XIIIe siecle", *Introduction to "La Roman de la Rose"* (Publications de l'Institut d' Etudes Medievales d'Ottawa X, 1941). 1-21.

Pascal, C. *Poesia Latina Medievale,* Catania, 1907.

Przychocki, G. *Accessus Ovidiani,* Krakow, 1911.

Peeters, F. "Temps fort et accent de prose au 5e et 6e pieds del' hexametre dactylique dans les *Fastes* d'Ovide", *Atti del Convegno Internazionale Ovidiano* (Rome, 1959) II. 85-99.

Quain, E. A. "The Mediaeval Accessus ad Auctores", *Traditio* III (1945), 215-265.

Rand, E. K. *Ovid and His Influence,* Boston, (1925).

Robathan, D. M. "The Missing Folios of the Paris Florilegium 15055", *Classical Philology* XXXIII (1938), 188-197.
"Introduction to the Pseudo-Ovidian *De Vetula", Transactions of the American Philological Association* 88 (1957), 198-207.
"Living Conditions in the Thirteenth Century as Reflected in the Pseudo-Ovidian *De Vetula", Studies in Honor of Ullman,* St. Louis, 1960, pp. 96-103.

Sabbadini, R. "I libri del gran siniscalco Nicola Acciaioli", *Il Libro e la Stampa* I (1907) 38.

Salembier, L. *Le Cardinal Pierre d'Ailly,* Paris, 1932.

Sedlmayer, H. S. "Beiträge zur Geschichte der Ovidstudien im Mittelalter", *Wiener Studien* VI (1884), 142-158.

Segre, C. (ed.) *Li bestiares d'amour di maistre Richard de Fournival,* Milan-Naples, 1957.

Smith, D. E. *History of Mathematics.*
"The Place of Roger Bacon in the History of Mathematics", *Roger Bacon Essays* (ed. A. G. Little, Clarendon Press, 1914), pp. 153-183.

Stahl, W. A. "Dominant Traditions in Early Mediaeval Science" *Isis* 50 (1959), 95-124.
Roman Science, University of Wisconsin Press, 1962.

Stigall, J. O. "The Manuscript Tradition of the *De Vita et Moribus Philosophorum", Medievalia et Humanistica* XI (1957), 44-57.

Strecker, K. *Introduction à l'Etude du Latin Medieval* (Traduit de l'allemand par P. van de Woestigne) Lille et Geneve, 1948.

Taylor, H. O. *The Mediaeval Mind.* London, 1911.

Thiébaux, M. "The Mediaeval Chase", *Speculum* XLII (1967), 265-270.

Thomson, S. H. *The Writings of Robert Grosseteste, Bishop of Lincoln,* Cambridge, Mass., 1940.

Thorndike, L. *The Sphere of Sacrobsoco and its Commentators,* Chicago, 1949.

Ullman, B. L. *Studies in the Italian Renaissance,* Rome, 1955.
"A Project for a New Edition of Vincent of Beauvais" *Speculum* VIII (1933) 325.

Van Hamel, A. G. "Lamentations de maistre Mahieu", *Bibliothèque de l'Ècole des Hautes Etudes* 95-96 (1905).

de Vaux, R. *Notes et Textes sur l'Avicennisme latin aux confins des XIIe et XIIIe siècles,* Paris, 1934.

Weinberg, J. R. *A Short History of Medieval Philosophy,* Princeton University Press, 1964.

Wickens, G. M. *Avicenna: Scientist and Philosopher,* London, 1952.

Wingate, S. D. *The Mediaeval Latin Versions of the Aristotelian Corpus,* London, 1931.

Wolfson, H. A. *Avicennna, Algazali, and Averroes on Divine Attributes,* Barcelona, 1956.

Zarifopol, P. *Kritischer Text der Lieder Richard de Fournival,* Halle, 1904.

INDEX NOMINUM

Aaron II 195
Aristoteles III 726
Augusti III 612
Babilonis III 625
Bacchi I 283
Beroe II 485
Caldea III 533 Caldeorum III 625
Cereris I 283
Cesaris III 612
Cumane III 709
Deucalion III 384
Esau II 172
Getarum III 441 Getas 441
Grecorum III 642, 726
Iacob II 172
Ih'm III 632
Indis III 624
Ipolitum II 229
Iudea III 532, 579
Iupiter I 638 III 164, 258, 481, 527, 595 Iovis III 248, 502, Iovi III 497, 503, 513 Iovem III 486 Iove II 484, 485 III 494
Luna I 638 III 166, 250, 256, 259, 469, 470, 471 Lune III 286, 477, 495, 542, 554, 568 Lunam III 473 Luna III 476
Maria II 195
Mars I 636 III 164, 250, 256, 260, 481 Martis III 534 Marti III 533 Martem III 484, 485
Mercurialis III 554, 584, 689
Mercurius I 639, 640 III 166, 246, 260, 562, 619 Mercurii I 643, 645, 647, III 555, 616 Mercurium III 487
Moyses II 194
Musa III 709
Naso I 1
Noe III 634
Ovidius I 1
Palatino II 586
Peligni I 1
Pirra III 384
Platonica III 43
Saturnus I 636 III 164, 250, 255, 259, 480, 528 Saturni I 644 III 491 Saturno III 497, 527, 637 Saturnum III 484, 485
Sem III 635
Semele II 484
Sibille III 709
Sol I 636 III 165, 244, 256, 258, 536, Solis III 477 Soli III 535 Solem III 472 Sole III 165, 476
Troiana I 601
Ulixis I 600
Venus I 313, 637 III 165, 248, 257, 261, 482 Veneris I 255, 305, 646 III 502 Veneri III 503, 507, 537 Venerem III 486
Virgo III 773, 806

INDEX VERBORUM

abbrevientur II 697
abdita II 344
abest II 58 abfuit II 389 absit I 810 III 791
abhorret III 717
abicio II 475, 478
abit II 652
ablativus II 51
abluo II 440
aborsum I 183
abstracta III 22
abundat III 752 abundent I 715 abundantes II 169
abusio III 80
abusum I 821
accedit III 287 accedens III 289
accelerare II 476 accelerabam II 477
acceleratio II 475
accensis I 82
acceptis II 628
accessio III 295
accidit III 285, 598
acclives II 323
accomodet III 78
accusant II 501, 508 accusans I 187
acies I 526, 690 aciebus I 708
acquirere I 393 acquiri III 518 acquisierant I 399
acre II 535 acri II 293 acriter II 124
activa III 472
actores III 387
actum (noun) II 129, 131
acuta I 57 II 502
adamanta II 507
addere II 579 addit II 407 III 97 addunt II 285 addebat II 222 addatur II 648 add I 502, 508
adducti I 256
ademit II 12, 681
adesse I 394 affore III 395 adest II 130 affuerit III 346 adsit II 537, 538 adesset I 358
adherebat I 734
adhiberi II 648 adhibemus III 732 adhibendi II 624
adiciam III 19 adicientes I 684
adipiscitur I 806
adire I 346 II 354, 484 adeam II 376 adeuntem I 338 adituram I 150 adeunda II 485 adeundi II 608 adeunda III 770
adiuncto I 456
adiuto II 690
admittam III 24
adoratur III 534 adorent III 535
adstans III 359
adulter I 400
adulterium I 179 adulterio II 11
advenio II 661 advenies II 432 adveniant III 411 adveniens I 764 advenientes I 438
adversarius I 542, 767
advertunt I 606 advertite I 610
aer III 272, 283 aeris III 604 aere I 191
aera III 263
aeree III 267
aeriam I 373
afferet I 741 attulerint II 406
affines III 479
afficeretur II 471
affirmare III 49
ager I 300 agris I 397, 620 agros I 97, 397
agi II 483 agit I 334 agunt I 292 egerat I 539 agat I 328 agitur I 294 agens III 147 agente III 147 agendi I 725 actum II 416 actam I 317 acti III 163
aggredior II 363
agilem I 346
agitatus I 294 agitata I 188 agitandum II 452
agnitione III 74

alatas I 290 alatis I 363
albo II 283
alea I 520
alebat I 85 alet I 170
algebre I 838 III 23
alienis I 375
aliquatenus I 414, 418
alkimiam I 785
alliciuntur I 382 allicitos I 370
alma I 313
almucgrabale I 838
alphinus I 623, 633, 637
alterna II 58 alterno I 278, II 242
alternatio I 475, 615
alteruter I 389, 665 alterutra II 253 alterutrum I 579 alterutrius I 581 alterutro I 249 alterutrorum III 158
altum (noun) I 301, 355
alumpna II 105 alumpnam II 404
alumpnus I 1 alumpnum I 202
alute I 49
amabiliores I 828
amabilitati II 518
amare II 517 amari II 335, 516 amavi II 515 amet I 814 amaret I 223 amanti I 177 amantes II 633, 645 amandum II 630
amator III 772 amatoris I 244 amatorum I 23
ambagibus II 416
ambit II 184
ambitio I 796, 804 ambitionem I 805
ambitiosus I 803
ambo II 107, 539, 577 ambe I 709 II 406 amborum III 91 ambarum III 144 ambobus III 324 ambos II 354 ambas II 521 III 697
amenis I 115
amica I 128, 417 amice II 3 amicam I 238 II 5, 7, 557
amicitie I 821 amicitiam I 820 amicitiarum I 817 amicitias III 66, 407
amictu I 121
amicus I 779, 823 III 727 amici I 818 amico I 822 II 710 III 72 amicum II 84 amicis II 570
amicus (adj.) I 255 amice I 62
amigdalus III 419
amittens I 124
amor I 387 II 183, 388, 513 amoris I 19 II 201, 271, 489, 668 III 3 amori I 5 amorem I 415 amore I 7, 224, 658
amplius (adj.) III 213 ample II 325 amplius II 128
amplexibus I 717
anabatrum I 806
anathemate I 312
ancilla II 661 ancille II 428
anguillas I 376
angustat I 540
anhelo III 12
anima III 383 anime III 378 animam III 333 anime III 317, 340 animarum III 379 animabus III 373 animas I 260 III 377, 452
animal II 27, 28, 43 animalia I 223 II 108 animalibus II 25 III 44 animales (adj.) III 257
animus II 472 animi II 217 III 628 animum II 113 animos I 62
annone III 605
annosam II 724
annuat III 30
annum III 614 anno III 612 anni III 411, 642 annos I 132, 412, 773 II 563 III 610 annis III 7, 594
annumeretur I 653 annumeranda II 716
antiphrasim II 99
antiqui II 668
anus II 546 ani II 85
anus II 710, 716 anum II 574
apertas II 462 aperte (adv.) II 560
apex II 279 III 15
apparebat II 228
appellavere III 664
appetit III 254 appeterem II 510 appeteret I 224
appropiando I 445
appropriata III 279
approximet I 373
apta I 242 III 151, 153 aptam I 717 II 336 apti II 577 aptior II 330, 671 III 592

aptare I 85 apto II 444 aptat III 141 aptarent I 250
aque (gen.) I 302, 377 aquam III 264 aque III 271 aquis I 348
aquas I 338
aquee III 266
aquilus II 274
aras II 144, 152
aratro II 505
arbitrantur I 324
arbitrii I 511 arbitrio II 139
arce III 270
arcere I 318
archam I 377
arcto III 440
ardeat III 397
ardor I 387
area II 262
arentes II 506
argenteus III 421
argento II 298
argumentis III 566, 740
arguo III 105
arithmetice I 673, 840 arithmeticorum III 23 arithemticos I 839
arma I 177 armis I 589
armatos I 321
arrectum (noun) II 491
arrigit II 721
ars I 732 III 293 arti I 733 arte I 525, 749 artes I 736, 832
artari II 481
arterie III 240 arteriis III 244
articulorum II 46
artificis I 118
artus II 500 artibus II 500 artus III 245
ascendere III 626 ascendit III 289 ascendebat III 636 ascendam III 29
aspectus I 99, 100 aspectum I 101 II 240
asperitas I 60 asperitate II 306
aspirat I 795
assertive III 514
assignare III 253 assignabatur I 733
assimilari III 315 assimilatur III 604
assumere III 683 assumet III 805 assument III 573 assumuntur I 792
astra III 45 astrorum I 618, 642, 649 III 30, 460, 594
attendit I 813 II 192 attendi II 386 attendas II 722
attonitas I 377
attrecto II 664
auctor II 160 III 91
audax I 168 audacter I 125
audiet I 181
auditum (noun) 337 auditu I 91
auge III 293 augem III 289, 294
auget II 286 III 261 augendo I 252 II 287
augmenti II 38
aula I 75, 357
auras I 186, II 278
aure III 711
aurea II 596 III 422
aurem II 350
auri II 245 auro I 116
auriculas II 289
auspicii II 460
autemptim I 14
ausus (noun) I 334 ausu II 405
auxiliantis III 237
auxiliatores I 681
avara II 211
aversis I 189
avibus I 299
avidis I 299
axis III 183, 189, 199 axem III 182, 190, 195 axe III 195, 199

baculus II 420 baculis I 329
barba II 37, 40 barbam II 440
barbalem I 57
basim I 702, 705
bellum I 675 belli I 603
benedicendi II 164 benedictus II 164 benedicto II 176
benedictio II 168, 180
bicolores I 690
bimode III 465
bina I 443, 689
bladum II 390
blanda II 309 blandius I 830
blanditiis II 350

blasphemare I 599 blasphemant I 575
blasphemia I 492
bonitas III 130 bonitatem III 429 bonitates III 370
bracchia I 278 II 322
brevis II 290, 327, 474 III 293 brevi II 441 brevibus I 329 485, II 572 breviter III 511
brevitate II 249, 290, 317
bruto I 224 brutis I 596
bucca II 290
burse II 505
bustum I 185

cadit II 59, 60, 491 cadebat III 662
candendi I 467, 478, 530
cadentia (noun) I 466
calamum III 743
calathis I 366
calidus III 471, 480, 481
caligas I 290 caligis I 363
caloris III 472 calorem III 476
camena I 776
cameram II 468, 525 camera II 427
camino I 82
camisia II 393
campus I 76 campum I 624, 630 campos I 635 campis I 608, 676
candela I 112 candele II 447
candidior II 307
candorem II 253 candore II 263
canebat III 742 cecini II 496 cecinit III 709
canescat III 419
canis I 354 canes I 351 canum I 338 canibus I 316, 347,
cantica III 28
cantu III 27 cantus III 509
capacior III 307
capi III 757 capit I 538, 663, 664, 667 capiam III 27 caperet I 841 capiatur I 120 capiantur I 535 caperetur I 356 capiens I 628 capiendum III 122 capiendas I 378
capilli III 627 capillorum II 243
capitatis I 329
capparis III 420
capram II 390
capreas I 322
captabiliora II 315
captare I 361 captant I 782, 783 captaret I 123 captata I 166
captivam I 552 captivis I 782 captivas I 548
captivari I 783 captivant I 782
caput III 270 capiti I 239 caput I 333 II 244, 425, 430
cardine II 433
carere I 267, 485 II 103 197 III 136 caret II 32, 35, 40, 306, 582 III 4, 439, 675 careat II 707 carentem II 31 cariturus II 41 caritura II 706 cariturum III 672
carminis III 416
carnis II 189 III 783, 785 carni III, 797 carnem II 61 III 683, 777, 784 799 carne III 659 carnes II 533 III 267
carpat I 774 carpentis III 3
carus I 24 cara I 266, 417, 427, 776, 777 II 720 care II 3 III 9 caro I 121 cara I 28 carior I 59 care I 423
casti II 123 castis I 717 castos II 121
castigare I 50 castigatur II 289
castra I 536, 538, 549 castris I 549, 604, 700
castratus II 36
casus I 385, 484, 495, 514 II 51, 681 casum I 488, 501 II 14 casu I 485, 516, 556 II 46
cathene II 297 cathenam I 547
causa I 161, 614 II 269, 553 III 41, 64, 92, 798 cause I 768 causam I 390, 606, 770, 773, 807 II 69, 609 III 36, 379, 489 causa I 22, 728, 772 III 551 cause III 1 causas I 164 III 14, 35, 461, 493, 590 causis II 18 causarum I 748
causat III 350 causatur III 349 causatus I 22
cautela II 400 cautelas I 320
cautus I 328
cava II 276 cavo I 315
cavere I 145 cavet I 144 cavendi II 461
cecus II 183 ceco I 145
celaverit II 364
celer I 301 celerem I 335 celeri III 52

celestis I 619 III 227 celeste III 45 celestia III 48, 692
celi I 614, 634 II 169 III 275, 276, 280, 304, 356, 536, 578, 636, 758 celum III 29, 83, 167, 171, 178, 213, 251, 278, 308, 358, 363 celo I 614 III 230, 306, 758 celorum III 200, 238 celis III 194 celos III 160, 180, 201, 302, 781
celica III 16
censet I 156 censeret II 630 censuerint III 26
cententarius I 707
centrum III 184, 290 centro III 291
c(o)episse III 345 cepi II 509 cepit II 339 ceperit III 329
ceperit (subj.) III 671, 788 cepisset II 14 ceptum I 753
cerasorum II 292
cerebrum III 235, 250 cerebri II 276 cerebro III 241
certare II 281 certasse II 208
certus I 2 III 689 certa I 353, 746 certum III 46 certo I 67 II 611 III 32 certa III 50 certa (acc.) I 317 certis III 58 certe I 27, 350 II 149, 573 III 83, 442, 652, 702 certior II 446 certius II 225
cervum I 335
cesaries II 288
cessare I 257, II 199 III 341 cessa I 599 cessante III 149, 570
cessit III 513 cesserunt III 588 cederet I 366
cibante II 296
cibator III 249
cibus I 310 II 360 cibo II 443 III 657 cibos II 177
ciliorum II 265
cimbala I 92
cingente II 266
cinus II 254
circueundum I 541
circuit I 142, 156
circuitus III 556
circulus III 188, 464, 491, 543
circumdata II 34
circumgirata II 267
circumplectitur III 268 circumplexus II 479 circumplexa II 244
circumplexu I 50
circumrotet III 181
circumscribamus I 230 circumscribatur III 98 circumscripta I 234
circumspecta II 384
circumstat II 268 circumstarent I 54, 244 circumstans I 504
circumveniendam II 418
circumvolvit III 180 circumvolvuntur III 216 circumvolvendo I 251
cirogrillos I 331
cisternam III 423
cithare II 488
clamans I 117
clamore I 186
clarebat I 741
clarificandus III 650
clarus I 117 clara I 75 claro II 244 clarior II 298
claudere II 524, 566 claudit II 271 clauserat II 458 clauditur II 219 claudens III 267 clausa III 668
clavellose I 329
claves I 747
clavum II 154 clavo II 154
climata III 609
clunes II 325, 506
coadunant I 706
cocus III 243
codice II 159
coequa I 496
coevis I 74
cogi III 84 cogitur I 765 III 135 cogantur I 536 cogens I 538 cogentibus III 740 coactis I 257
cogitat III 258, 312
cognitione III 119 cognitionem III 125, 521, 591
cognoscere I 238 II 5, 7 III 747 cognosci III 647 cognoscit I 425 cognosces I 481 cognoscendum III 750 cognita I 736 II 316
cohercens II 247
cohortis I 680 cohorte I 692

coitum I 169, 225 III 510 coitu I 246 II 198 III 615
colera III 263
coli III 579 colit III 577 colitur I 313 colenda I 52 colendum III 580
collatio III 576
colli II 174 collem II 302
colliculum II 302
collidere I 801 collido II 449 collisi I 802
colligit II 247 collectorum II 293
colluctantibus I 247
collum II 302, 304, 394, 502 III 2
color II 245 colorem II 282 III 130 colores III 509 colore II 280 III 547
columbas I 303
combinat I 535
comedat II 532 comedens I 310 comedendum III 632
comenda II 425
cometarum III 281
comitante I 270
commendabile II 637
commensurat III 148
commenticia I 164
committere II 618 committis I 490 committit I 822 823 commisit II 620
commixta III 479
commoda (noun) III 565, 589
commodus I 31
commoriantur III 317 commoriendo I 256
commoti I 179
commoveantur III 414
commune II 48 communem III 437 commune II 106 III 414 communi I 724 communibus I 79 communiter I 595 III 437, 574, 705
commutans III 391
comparere II 173
comparo III 66, 407
compatiuntur I 795 compatietur II 191 compatiatur I 180
compellam II 430 compelles I 577
compensare II 154
compereram II 554 comperto I 491 comperta II 609 comperte II 601
complectitur III 523 complectar III 12 complectatur III 527 complexuro II 321
complens I 196
completio I 259
complexio I 640, 643 II 97, 98, 99 III 617
complexu II 98, 320 complexibus II 577
componibiles I 451
componit I 634 componunt I 451 componas I 778 componitur III 190 componentibus II 9 compositus III 56 compositi I 434 compositos I 479 III 262
compos II 461
compresse II 318
computat I 35
computresceret II 18
conamine II 181
conati III 489
concathedrabit III 805 concathedrans III 782
concedit II 258, 710 concedunt II 375 concedat I 486 concederat II 350 concessum est I 632 concessum esset III 447 concessura II 286
concentus I 88
conceperat III 745
concerni III 175 concernens III 21
conchis III 297
concilians II 258
concipiebam II 380 concipiat I 183 conciperet I 128 concipienda III 560
concitus II 509
concludi II 75 concluditur I 500 concludendo III 511 conclusa I 113
concomitatur II 184, concomitentur II 705
concordare I 89, concordat III 535 concordant I 798
concordia I 791
concorditer I 793 III 575
concors I 31, 797 III 617 concordem I 40
conculcat I 173
concurrere II 207, 346 concurrant II 692
concutiuntur I 560
condictam II 437
condignam II 527
condire I 10
conditionis III 677 conditione II 188 conditiones III 321

conditor III 347
coeva III 343
conferre I 110 III 33 conferri II 218 contulerit I 111 collaturo II 338 collatum II 302
confessa I 141 II 715
conficiunt II 282
confinem III 324
confiteor III 402, 712 confiteatur II 713, III 530 confessa II 715
confisos I 330
conformis II 211
confortetur I 343
confringo II 462 confringatur III 423
confundor III 749 confundantur I 557 confundens I 213
congavisuris II 579
congreget II 50
congressio I 676 II 678
congruit II 46
conicio II 319 conicientes III 542
coniectura (noun) II 316
coniunctio III 599, 600, 608, 640, 644
coniunctius I 69
connexa I 371 connexi II 250 connexa III 158 connexis I 365
connumerant I 754 connumerabis I 459 connumerabis I 459 connumerato I 679
consanguineis II 570
conscendere I 271 conscendit III 294
conscius II 458 conscia II 714
consentire II 78
consenuisset II 494
consertis II 300
consilium I 779 consilii II 521 consilio II 605
consolata II 706
consona I 744
consors I 70 consorte I 254, 267 II 690
consortia I 266
conspicuos I 271
constanter II 690
constat I 579 III 50, 59, 137 constet I 770 III 48
constructio II 52
consuetudo I 411 consuetudine I 413
consuevit III 600, 608
consulerent I 725
consummatio III 571
consumpturus III 39
consurgit II 279
contactu III 211
contegit II 289
contendere I 112, 588 contendunt II 239
contenebrescant III 415
continet I 524 III 127, 302, 304 contineat II 546 III 161 contentos III 181 contentas III 168
contingeret I 11, 552 contigit II 581
continuare I 508, 669 II 721 III 443 continuatur II 260 continuabitur III 376 continuetur I 66 continuans III 218
continuus II 540 continui I 460, 462 II 512 continuo II 547
contractus I 817 contracta III 790
contradicere III 61 contradiceret I 41
contradictores III 550
contrarietas III 168
contrarius III 108, 203 contraria I 218, 398, 577 II 487 III 690
contrita III 422
conum I 364
conveniat I 155 III 74 conveniens II 287
convertere II 340 convertebam I 365 converso III 232
convertibilis I 641 convertibilem III 483
convexa II 251
convincitur III 537
cor II 339 III 235 cordis I 244 cordi I 191 II 338 cor II 610 III 240 corde III 38, 244, 430 corda II 305
corize II 544
cornu I 315 cornua I 337
corporeis I 218
corpus II 94, 324 III 173 corporis II 217, 645 III 245 corpus III 383, 385 corpore I 205, 216 III 319, 327 corpora III 48, 169, 170, 364, 382 corpora II 496 corporibus III 318
correctio II 186
corregnant I 803
correpta III 396

corruptio III 544
cotidie I 158
creare III 331 creat I 158, 800 III 323 creavit III 132, 398 creatur II 676 creantur II 284 creata est III 578 creata sunt III 312 creans III 316 creando III 316 creato I 83 creata III 332 creatas III 34, 376
creatoris III 28 creatori III 732 creatorem III 34, 580
creature III 432 creaturam III 793
crebra III 541
credere I 355 II 78, 413, 493 III 762 credi II 117, 208, 412 III 74 credo II 413 III 760 credebam I 26 credam II 412, 654 III 84 credas I 101 II 605 credantur II 659 credita II 643
credibilem II 656
credulitatis III 738 credulitatem II 307
credulus II 437 credula II 161
crementi III 149
crevit II 344
cribraram I 42
crines I 494
crisi II 537
crispedine II 249
criste II 255
cruda I 203 II 506
crudelis I 134, 203 II 68 crudeli II 19
crumena I 777
crura II 506 crurum II 326 crura I 279 cruribus I 335
cubili II 525 cubilia I 355
culpa I 789, 831 II 382, 520, 712 culpis III 387
cultelli I 494
cultorem III 409, 763
cultrices I 305
cultus II 329 cultum III 432, 548
cumulasse I 397
cuniculum I 325
cupiat I 135 cupiamus I 228 cupitam II 328
cupidus I 393 II 337, 437 cupido II 484 cupidos I 788
cura I 753 II 462 III 310, 694 cure III 9 cura II 3, 355 III 9 curas I 389, 566 curis I 46, 285, 381, II 2
curat I 770 curant I 579 curavit I 13 cures II 606
cursus I 648 III 30 cursum I 378 cursu I 339
curtus II 274
curvato II 326
cuspis I 368 II 502 cuspidis III 292
custodes III 414
cutis II 305 III 267

dammas I 321
dampnificetur II 704 dampnificans I 539
dampnosa II 473 dampnosior I 767
dampnum II 703 dampni I 523 dampno I 565 dampna I 181, 507 II 398
dapes I 80
dativus II 51
datorem I 596 datore III 790
debacchatur I 570
debere I 20 III 545, 614 deberi III 403 debeo II 696 debet I 543 III 530 debent I 583, III 524 debebat I 209 debebit III 577 debueram II 625 debueras I 586, 781 II 410 debuerit I 22 debeat I 345 III 666 deberet II 149 III 80, 705 deberent I 756 debetur III 406 debita II 232
deceperat II 663 decipiens I 366, 369 decipienda II 424 decepti III 574
debilitatis I 482
decet II 646 III 94 decent III 791 deceret III 708 decuisset II 483, 484, 579 decens I 660
decius I 430 deciorum I 471, 519, 656, 665 deciis I 432 decios I 382 deciis I 431, 654, 667
declarare I 483 declarat I 464 declarant I 748
declinabile II 45
declinat III 195, 199 declinant I 714
declivis II 256
decor II 203
decreta I 824 III 457
decus II 203 decoris III 628
dedignatur I 788 III 17 dedignantur III 229 dedignentur III 72

deducere I 289, 562 deducit II 414 deducitur I 520 deducuntur II 124
deest I 416 II 40 desunt I 416, 426 II 39 deeras I 205, 206 deerat I 204 II 462 deerant II 206 desit I 204 II 180 III 749 defueris I 206
defectivus III 752
defectus II 24 III 122 defectum II 97
defendetur III 566
defers I 310 defert II 395
defervesceret I 571
deficit I 339 II 77 deficiente I 190 II 83 III 748
defluet II 41
deforme II 144
degener II 63
degere III 297
degustant I 750
deitas III 97, 115 deitatis III 76 deitati III 99 deitate III 100, 786
delectabile III 512 delectabiliorem I 101
delectat I 269, 414, 418 II 633 delector II 668
delectatio I 225
deliciarum II 489 deliciis II 336 delicias I 264 III 7
delubra I 155
demonstrabilis I 744
demonstrans I 119
demonstratio II 80 III 29
dempsos I 336 dempsa I 247 dempsior III 151, 157
demulceret II 471
deneget II 623
dentato I 379
dente I 326 dentibus II 299 III 63
denticulos I 248
denuntiet II 534
dependet III 106 dependentibus III 113
deprendatur II 620 deprenso I 178 deprensis II 11
depressa II 262
descendisse II 231 descendo II 451 descendat I 544 II 544 descenderit II 405
describere III 514 describi III 515 describit III 191 describitur III 200 describuntur III 624 describatur I 18 describens I 4 describenda II 232
descriptio I 119, 840 II 233, 334
deserit I 131 desertum I 131
desiderat I 139 desideret III 719
desiderium II 686, 689 III 10, 261 desiderio II 182, 472 desideriorum I 259
desipit II 728 III 11
desperant I 833 desperantis II 179 desperatus I 558 II 515, 517
desperatio II 687, 688
despicit II 190 despiciunt III 62
destruitur I 554
deterior II 725 deterius III 442 deteriorem I 405 II 395 deteriores I 832
deterret III 451
detinuisse II 625
deus I 597 II 143, 145, 251 III 69, 79 102, 115, 117, 128, 330, 367, 401, 663, 666, 673, 679 (bis) 680, 688, 691, 716, 777, 802 dei III 667 deo III 310 deum III 94, 96, 733 deo I 593 III 653 dií I 200, 583, 584 III 76, 78, 103, 104, 455 deorum I 155, 200, 575, 824, II 136 III 45, 67, 74, deos I 158, 577, 599 II 397, 411, 575 diis I 588 III 68
deveniebat I 402
devirat II 24
devoveo II 452 III 402 devovet II 397 devoveam III 38
dextra II 427, 513 dextera III 388 dextrum I 240
dialectica II 57
diametron III 55, 143
dicatus I 23 dicata III 276
dictat III 84
dies III 38, 426, 434 diem II 566 die II 439 III 182 dierum III 546, 795 dies II 614 diebus II 375 III 643
diescere 84
differre I 468 differri I 143
difficilis I 411 II 679 III 557, 714 difficilem II 379
diffinire III 47
diffinitio II 76
diffitear III 71

diffundit III 142 diffusa III 173
digerit III 141, 255
dignatus III 315
dignitatis II 79
dignus II 516 digna I 824 II 99 III 579, 778 dignum III 100 digne I 739 dignum I 801 dignos III 432 digna I 159 III 653 dignior III 307, 505, 585
diiaculare I 331
dilaniare III 63 dilaniantur I 493
dilatio I 522
dilectio III 702, 810
diligo III 761 diligit I 142, 769 III 309 dilexero III 430 diligat II 421 diligeret II 604 dilecte II 361
diluvium III 604
dimidio I 775
diminuas I 518 diminuantur III 787
dimittere I 509 II 628 dimitto II 463 dimisisset II 627
dirrumperet I 125
discerni I 731 discernit III 260 discernendum I 691
disciplinas I 746
discipulos III 25
discessisset II 513
discolus I 504
discontinuus I 462 discontinui I 461
discordes I 794 discordia I 797 discorditer I 798
discriminat II 262
discrimine I 521
discunt I 715 didicere I 91 discite II 201 discendi I 729 discenda I 732
discurro II 237 discurrunt III 163 discurrens I 638
disiungat II 562
disparitatis I 613
dispendia II 565
dispergit I 413, 419 dispergebat I 404 dispergens I 400
displicet II 719 displiceat II 51 displiceant II 698
disponi I 528 disposui II 342 disponat I 533 disponitur I 675 dispositis II 299
dissimilantur I 611
dissimilis I 453, 470 dissimili I 471 dissimiles I 458, 472 II 500
dissimulare I 140
dissolvat III 390
dissuadebit II 621
dissute I 551
distat III 290
distenta II 542
distingui I 613 distinguuntur I 693 distinguens II 259 distincta III 150
distribuuntur III 269 distribuenda I 480
districtus I 540
ditari I 719 ditat I 815 ditabitur I 755 ditando I 829
ditatio I 785
ditior I 104
diurnus III 469 diurno III 177
diuturnus II 686
diversicoloribus I 116
diversificari III 524 diversificantur I 476, 529
diversimode I 433 III 91
diversus III 51, 56 diversas III 467 diversa I 88 II 139 III 224 diversis III 163
divertere II 479, 589, 602
dives I 103 III 459
divina I 63 divinum III 94 divini III 314 divinum III 548
divinare II 313 divinantur I 836
dividit II 63 III 188, 326 dividat II 61 divitur III 160, 465 divisa III 158 divisis I 480
divisio III 466
divitiarum II 235 divitias I 308, 397 divitiis II 376
divortia I 86
divulget I 138
docere I 264 doceri I 265 docet I 475, 531 II 670 III 60, 730 docuit I 591 III 635 doceat II 694 docturus III 766 doctis I 316
dociles I 727 III 19
doctrina I 647 doctrine I 109, 113, 739 III 14, 16, 650, 735, 762
dolet I 175
dolor II 550 dolorem II 514, 689

dolose I 319
domestica I 307 II 588
dominari II 167 dominatur II 143 III 244, 305, 618 dominantur III 298 dominantia III 235 dominandi II 183
domine II 597, 629, 694 dominam II 246, 583 domina II 284, 296
dominus I 222, 822 II 165 III 69, 727 domini I 309, 642, 823 dominum III 425 domini I 618, 649 III 489, 594
domita III 659
domus III 414, 490, 496, 620 domui III 499, 519 domum II 465, 524 domi II 599 domus III 492 domibus III 464 domos I 398 III 465 domibus I 269, 398, 406
dona III 792 donis III 405
donandum III 803
dormire II 428
dormitem II 444
dorsum III 271
dotat I 815 dotata II 205
dotis II 236 dote II 568
dubitatio III 560, 714
dubium II 22 dubio I 556
ducebant III 656 duxi II 446 duxit I 412 ducant III 417 ducens II 381 ducturus II 442 ducendo I 567, ductus I 224, 702, 706, 810 ducto I 682
dulcedo II 221, 470, 486 dulcedine I 46, 258
dulcem I 248 dulcissima I 68
duplicaveris I 455
durabilis III 217, 336, 338
durare III 552 durasse III 341 durat III 321, 342 *(bis),* 506 durant III 340 duraverit III 676 duret III 677 durante III 348
durus I 311 dura II 632, 678 durum I 172 dura I 93 II 319

ebur II 254
econtra I 172 III 110
edendum III 296
edes II 585
edidit I 4
edificabo III 20
edoceant III 581
educat I 300
effectus III 357, 462
effeminat II 144
efferat III 54
effeta II 564
efficiatur II 141
efflare I 260
effundere I 80
egentem III 237
eger II 95 egra I 176 egre II 437
egrederetur I 591 egresse III 292
eleganter I 115
elementaris III 60, 228
elementarum III 220 elementis III 262, 478 elementa III 157, 275 elementis I 375 III 230, 279, 351
elemosina I 201
elicit I 256
eligo II 373, 377 eligit I 38, 133, 790 elegeret III 776 eligerent I 728 electus I 799 electam III 783
elongabatur III 658
eloquium I 816
ementulus II 153
emit I 422, 424 emenda I 766 emendam I 765 emendis I 151
emungere II 543
endelichia III 372
enigmate III 623
epar II 490 III 235, 249
epati III 241
epiciclum III 293
episcopus I 637
equalis III 187 equales I 688 III 57, 106 equalibus II 300
equare II 263 equat II 254
equator III 192 equatore III 197
equidialis III 192
equivoce I 777
equore II 219
equum I 289 equo I 544 equorum I 721 equos I 271
(a)equus II 310 equo I 588 II 695 eque I 434 III 326
erubui II 612

eructatio II 543
estatem I 83
estus II 538
eternus III 679 eternum I 217 III 506, 581, 672, 675 eterne III 565, 586, 589, 593, 678 eternum II 536 III 321, 324, 352, 360, 677 eterno III 129, 320, 676 eternas III 322
ethici II 118
eunuchus II 42, 110 eunuchum II 89
evacuare I 22 II 689 evacuata I 21
evadere I 507, 580 evadam II 377
evehor II 682
eventus I 524
evolet III 425
evolvo II 526
evomuere III 745 evomitura II 545
exactio II 646
exaltare III 804
exaltatio III 620
examen II 187
exanimes I 257
excelsus III 116 excelsi III 388 excelsa III 418
excessum II 273
exciperem II 369 excipiens I 594 excepto II 1, 574
excivere I 351
excludens I 488 exclusa III 187
excubiis II 348
excusare I 519 excusat II 366 excusasset II 626 excusatur I 414, 418 excusetur I 421
excusativa I 167
exemplar II 162
exempli III 89 exemplo II 171
exempti II 249
exequeretur II 398
exercere III 453 exercet III 260 exercent I 622 III 461 exercuerant III 453
exercitio I 835
exhilarat II 267
exigitur I 666 exigeret I 81
exigui II 256 exiguis III 20
exilio III 436 exilium I 759 III 440, 454 exilio I 2 III 17
exilis II 113
existit III 729
exitus I 826
exoptata II 181
exornant I 815
expectare I 333, 353 III 795 expectatis II 210
expectatio III 450
expellit III 256 expulsis I 47
expensurus I 410
experiar III 73 experiatur I 195 experta I 139
expers II 521
explorante II 468
exponere I 384 II 629 exponi I 781 exponit I 545 exponens II 463
exsurgo II 509
extendens III 146 extensa III 146
exterior III 153
extinctus II 514
extraximus III 729 extrahitur III 226
extrinseca II 269 III 160
exulibus III 436
exuo II 386

fabrefacta II 596
facies I 51, 53 II 179, 565 faciei II 301 faciem I 261 facie II 286 III 627
factor III 323 factori III 428 factoribus I 810
factum I 657 II 637 facti II 644, 713, 714 facto II 638, 643
facultas I 394 II 593
facunda II 353, 594
facundia II 70, 73
fallax II 663
fallere I 567 falluntur II 166
fame I 135, 218 famam I 134 II 511 fama I 136
famoso II 171 III 748 famosior III 725
famulatur III 274 famulamur I 72 famuletur III 278
famulatus (noun) III 406
fas I 588 II 156, 157, 332 III 654, 785, 801
fassa II 626

fastidit II 201
fastorum II 140, 156
fatalia II 375, 460
fateri III 751 fatetur I 162 fatebar I 237
fatigas I 304 fatiget II 536
fatum I 510, 513 fato I 511 fata I 510, 513 II 388, 567 fatorum I 207 fatis III 395
fatuum I 513 fatui I 510, 513
fauces I 342
favisse II 455
favor II 226 favorem III 312 favore II 224
fax II 489 face I 380 faces I 85 III 477
febriat II 537
fecundas (adj.) I 305
fecundat I 67
feda III 546 fedum I 225 feda III 570 fedius II 151
fedat II 306 fedavit I 655 fedatus II 449
f(o)edus I 125 federe I 211
fel III 241, 250
felix I 214 II 636 III 590, 644, 773 felici III 611 felicem I 238 II 4 felices I 44 II 198, 199 felicior I 215 felicissimus I 219
femina II 42 III 470
femineus I 25 feminei II 204 femineum I 73 femineo II 197
femur I 241
fenestre I 407
fenestrellam II 583
fenus II 644, 645
feraces I 97
feras I 316
ferrea I 408
ferro I 407 *(bis)* II 510
fertilitas I 132
ferventi II 182 ferventer I 784
fessus I 356
festivus I 359
feteat II 543
fetidius II 152
fetor II 534 fetore II 278
fetus I 170
fidelem II 592 fideliter II 398
fides I 167 II 163, 657 III 525, 530, 532, 533, 537, 546, 579, 710, 712 fidei III 490, 524, 645 fidem I 165 II 166, 410 III 498, 500, 522, 609 fide III 517, 560, 585, 587
fidis I 138
fiducia I 168 II 38
figere I 354
figura I 464, 483, 614 figure III 552 figuris I 250, 693
fila I 288, 370
filia III 416
filius I 171, 313 II 33 III 635, 779
finalis I 568
finem III 426, 435, 445 fine I 525 II 415 III 136, 329, 340, 350, 546, 673, 695, 795 fines II 92
finibilis III 336, 338
finire II 372 III 445 finit II 528 finitur III 184 finitus I 617 finitum III 137 finiti III 358 finita III 144 finitis I 620
firmare II 509
firmo III 567 firmis II 300
fistula I 93
fixum III 360 fixam I 229 fixe III 298 fixas III 167
flatum I 93 flatu I 92
flavo I 77
flebilis II 526
flesset I 201
fletus II 540 fletu II 700
flexibilis I 367
florere I 762 florebat II 205
florida II 254
flos I 129, 673 floris II 203 flore I 124 II 582 III 419 flores I 133 florum I 175
fluat II 547 fluens III 208 fluentem III 583
fluitans II 682
fluminis I 277
fluviales I 364
fluvius I 300 fluvios I 98
fluxus II 16 fluxi I 54
fodiens I 374
folium I 673 II 41 foliis I 130
folles II 92

fomentum I 245
fontem III 422 fontes I 271
foramina I 55 III 415
foranea I 110
fores II 432, 462, 661 foribus I 200
forma I 416 II 228, 480 III 161 forme II 220 formam III 137, 140 forma II 227 forme III 45 formas II 495
formare I 591 III 332
formident III 418
formose II 236
fors I 139 forte III 654
fortis III 295 fortes III 414 fortius III 289, 400
fortuitu I 565
fortuna I 43 496 506 II 210, 681 III 513 fortune II 206 III 405 fortunam I 496, 584 fortunas I 500 III 502, 508
fortunatus I 498 fortunatis II 584 fortunatior I 498 fortunatissimus I 499
forum I 151
fossicule II 285
fovee I 325
fovet II 265 III 308 fovebar I 114 fovens III 142 foventem I 245
fragmenta II 280
frangat II 308 fracta II 670, 685
fratrum II 165 fratribus II 167
fraudi I 320 fraude I 303
frequens II 399 frequenti II 564 frequenter I 436 II 400, 541 III 553
frequentandum I 152
frigescunt II 492
frigidus II 36 III 480 frigida I 643 III 471, 482
frivola I 772
fronde I 351 frondes I 133 II 34
frondentis I 128
frondescere II 32
frons II 251, 665 fronti II 260 fronte II 259, 261 frontem II 448
fructiferis I 274
fructus I 129, 673, 785 II 38 fructu II 30 fructus I 133, 785 II 33
frustrabere II 436 frustratam II 30
fugaces I 322
fuge (noun) I 341
fugerem III 454
fulgori II 245
fulmen III 285
fultus III 741
fungunturr III 238 fungetur I 360 fungatur II 68
funis III 421
furaberis II 610
furens II 677 furenti II 459
fures (noun) I 394
furiis II 397, 452 furiis (abl.) I 188, 294 II 452 *(bis)*
furonem I 326
furor I 334, 384 furore I 145, 570
furti II 619 furtum I 490, 823, II 618 furtis II 463
furtiva I 303 furtivum I 169
fuso II 449
futura (noun) III 504, 661 future III 590

garrit I 721
gaudeo II 682 gaudet I 157, 626 gaudent II 317 gauderet I 127
gaudia I 143, 264 III 512, 593, 646
gemello II 318 gemellos I 305 II 264
geminis I 676
gemmis II 596
genarum II 279
generalis III 194, 243, 361 generaliter III 362, 796
generari III 475 generat I 345 III 257, 356 generandi II 39
generatio I 66 II 64 III 349, 356, 375
generativam III 237
generosum II 62
genitalia II 11 genitalibus I 226
genitivum II 49
gens II 139, 161 III 633
genu II 507
genus I 576 II 62, 63, 65, generi III 771 genus II 59, 368
geometrica III 21
gerente I 153 gerendarum II 158
gerule I 212
gesticulando I 291

gestu I 141
gignasia I 728
glacialis I 81
gloria I 674 II 204, 701 III 386, 811
glorificavero III 431 glorificandus III 116 glorificatum III 360 glorificatos III 352
glutiat II 545
gnarus I 371
gradatim II 313 III 804
gradiens II 448
gradu III 408, 802 gradus II 451 gradibus III 622
grammatice II 45, 56 grammatices III 78
grandem III 55
grando III 285
granum II 532
gratia II 209, 222 III 508, 812
gratis II 634 grates II 638, 694, 696, 709 III 403
gratuitis II 205 III 404
gratus I 131 grata I 70, 729 II 70, 611, 638 gratum III 428 grata I 586
gravat II 246
gravis I 277 II 460, 677 grave III 219 gravior I 280, 349, 450, 528 graviorem I 281
gravitas III 220 gravitatis III 528 gravitate III 221 gravitates III 605
grossius III 233
gustet II 535 gustato I 192, 354
gustum III 510
gutta II 536
guttura I 190

habitare II 120 III 440 habitabat I 406 habitet I 195
habitudine II 324
halitus I 339 halitui II 277 halitibus II 542
hamis I 362
haurit I 340 hauserat II 337
hebetes III 122
heremi I 128
herniam II 17
herorum I 17
hexametris I 16
hiatu II 276
hirco II 151
historiam I 118 III 742 historias II 138
holocaustum II 150
homogeneorum III 264
honeste I 724
honestatis III 629
honor I 60, 674 II 36, 701 honoris III 314 honorem I 813 II 192 honore III 803
honoret I 814
honorificare III 780
hora II 446 horam II 401 hora III 636
horologium II 445
hortos I 98 hortis I 274
hospitio II 265
hostem I 193, 539 hoste I 535 hostibus I 668
hostiles I 538 hostilibus I 664
humana III 277, 376 humanum III 653 humane III 694 humano III 771 humanum II 94 humanam III 155, 667
humeri II 323
humiditatis III 473
humidus III 482 humida III 471
humili I 154 II 469 humiles II 325
humorem III 476 humores III 262

iacet III 233 iacebat II 469 iacerent I 256
iacias I 489, iaciendi I 487 iacti I 553
iactare I 279
iactus I 524, 529, 666 iactum I 451 iactu I 528, 532, 555
ictus I 494
iectigat I 295
ignara II 179
ignavas I 322
ignea III 267
igniculis III 142
ignis II 489 III 268, 270, 280, 393, 534 ignem I 140 II 344 III 263, 577 igne I 297, 595 ignes III 604 ignibus I 82
ignoti I 837
illecebras I 252
illudi II 175 illudens I 375
illuminat I 109
imaginibus I 117 III 624

imbenedicibilem II 170
imbrem II 293
imitandum III 26
imitatores II 137
immediate III 207, 308
immensum II 345
immemorabilibus I 184
imminuatur III 419
immiscebam I 87 immiscuerim I 235
immodici I 573
immortalem I 774
immotus I 656 III 210 immota III 185
immutari I 825
imparitas I 692
imparium I 677, 704
impedit II 476 impediatur III 682 impediendo III 109
impendero III 432 impensos I 537
imperio I 71 imperiorum III 606
impetus I 334
impiger II 435
impingor II 448
impinguetur III 420
impleat I 342 implens II 493
importuna I 32
impositor III 348
impossibilis II 95 impossible II 129
imposuit I 8 III 347 impositura III 446
improbe I 590
improvida I 188
improvisas I 298
inane III 272
incautus II 448 incaute I 405
incertum III 49
incessisse III 739
incipio II 467 incipit III 320 imcipiunt III 492
inclinatio I 72
inclinentur III 531
inclusum I 102
inconsulta I 144, 344 inconsulte I 332
incorrupta III 708
incorruptio III 707
incultum I 51
incurvatio III 204
indagine III 50
indemonstrabilem I 74
indempnis I 176
indere I 227 indita I 226
indicat I 62
indigenas I 814
indignantes II 270 indignatus II 176
indignatio I 800
indignus I 827 indigna III 790 indignis I 828 indignos I 812, 827, 829 indignis I 812
individuum II 66 III 696 individuorum II 60 individuos I 497 individuis I 64 III 311, 693
induci III 688 inducat II 177 inducturus III 548
industria I 425, 526
inebriat I 805
iners II 538
inesse I 269 II 126, 127 III 114, 526 inest I 425, 484, 487, 514 II 148 III 10 insit II 127
inexpertus I 265
infauste II 194
infecundi II 73
inferior II 301 III 750 inferiorem I 26
infernalia III 452
infimus III 543 infima III 166
infinitus III 380 infinita I 621 infinitum II 91
inflatum II 507
inflexus III 556
informem III 134
infortunatus II 145 infortunatissimus II 146
infortunia I 569 II 464
infundens III 316, 333 infundendo III 316 infusas III 377
ingenium I 487 III 756 ingenio II 218, 418 ingeniis I 304
ingeniosis I 727
ingratus II 695 ingrate I 594
ingredieris II 434 ingredienti I 366 II 427 ingrediendo II 523
inhumanus II 678 inhumane I 198
inimica I 213
inimicitias I 174
initio I 609 II 631 III 601

iniuria I 176, 585
innotuerat II 555
innovat II 550 III 355
innuit II 170
insanius I 420
insatiabilis II 537
insensibiles II 125
insidiari I 286
insidias I 327 insidiis III 5
insinuare I 221
insolito II 389
insompnem II 442
insons I 193
inspicienti I 465
instantia II 212
instar I 619, 634 III 231, 273, 324
instare II 578 instandum II 381
instruet II 69
instrumenta III 65 instrumentorum I 90 instrumenta III 31, 40
integer II 147 integra I 136 II 670
intellectiva I 106
intellectum I 105, 109 intellectu III 36
intelligo III 669
intendo III 3, 34 intendit I 755 II 185 intendebat I 7 intendebatur III 660
intense I 644
intentio I 568
interior III 151 interiori I 108 interius III 234
interna II 470
intersit II 560
intestinorum II 15
intolerabilis II 538
intrat I 143 intrabam I 94, 277 intraret I 356 intrarit II 402 intrassent I 291 intrans II 467
introducit II 662
introductio I 746
introgrediente II 429
intromittit I 153
intuitu II 360
inutilis I 357 inutiliter I 567
invenio I 391 II 527 invenimus III 526 inveniunt III 322 inveniam III 25 invenies I 463, 472, 518 II 82, 435 III 463 inveniet I 19, 505 713 inveni II 518 III 32
inveniat II 57, 530 inveniatur I 385 III 42, 539 inveniens II 175 I 356
inventor I 605
inversa II 294
investigatur II 136 investigandi II 556
inveterari II 717 inveteravi II 723 inveterata II 718 inveteratam II 722
invicta II 292
invidet II 245
invidie I 808 II 103 III 63, 131
invidiosa II 616 invidiosam II 337
invidus II 116 invida II 102
invitare I 78
invito (adj.) II 652 inviti I 263
invoco II 454
involvere I 298, 371
iocalia II 595, 606, 613, 653
iocis II 336 iocos I 48 III 6, 19
iocosis I 252
ioculantur I 292
iocunde I 284 iocundius III 516
ira I 571 II 677
iracunda II 12
iratus II 178 irata I 199
irrationali I 811
irrefragabilis I 387
irretinebiliter II 708
iterato III 413
iudex I 181 iudicis II 67 iudice I 91 II 71 III 405
iudicium I 731 II 224, 225 iudiciorum III 460
iugum II 201 iugo I 20 III 3
iuncturas (noun) II 536
iungi II 562 iungit I 816 iunxit III 367, 369 iungitur I 641 iunguntur III 529, 595 iuncta sunt III 390 iuncta essent I 243 iugenda II 560 iunctum III 368 iuncto I 177 iuncti I 251
ius III 631
ius II 164 iuri III 170 iure I 360, 585 II 258 iura I 213, 773
iurant I 574 iuratur I 492
iusisse II 370 iubent II 567 iubebit III 408 iussit I 10 iusserit III 389 iusse I 733

iustitia I 762
iustum I 233 II 224 iusta I 177 iustissima I 780
iuvat II 235, 576, 645, 669 III 96, 510 iuvabat I 45, 267 iuvet I 562 iuvaret I 99 iuvatur II 79 iuvante III 330
iuvencula II 720
iuvenescebam I 56
iuvenilibus III 7
iuvenis I 149 II 717 iuvenes II 723
labi II 115 labentes II 190 lapsis II 187
laboret III 397
laboris III 558 labori I 341 laborem II 232
labra II 292, 303, 665
lac III 584 lacte I 192
lacerandum I 347
lacertum I 239 lacertos II 394
lacessis I 594 lacessiat I 326
lacrimalia I 55
lacrime II 540 lacrimas I 255 lacrimis II 272
lactea II 311
lacus I 98
laicorum I 752
lampadis II 433
languet II 491 languebit I 655
lapillum 273 lapillos I 662
lapsu II 189
laqueis I 296
largiflue II 215
largitor III 772 largitori III 428
largus III 131 larga I 78 II 209 large II 629 largis II 211 largius II 695
lasciva I 293 lascivo II 271
lassare I 322
latas III 526
latebre I 282
lateraliter II 467
lateres I 408
latere I 351 latet III 234
lateri I 240 laterum I 430
latro II 115
laudabilis I 826
laudo II 8, 21, 196, 605 laudabam II 6 laudarent I 597, 819 laudandus I 605 laudandam II 230
lauros II 587
laus I 674 laudis I 606 III 811 laudem III 28 laude III 431 laudum III 775 laudibus II 406
laute I 75
laxata II 308 laxatum II 503
lectus I 121 lectum II 468, 662, 674 lecto I 268 II 435
ledis I 589 ledent I 579 ledat II 269 lesurus I 590 lesus I 589 lesa I 174
legisse II 159 legit I 533 leguntur I 618, 642, 649 legendis II 444 lectus I 14
legumen II 390
leni I 249
lepore II 72 lepores I 321
leprosas II 533
letabar I 45 letetur II 700
letus II 467, 523 leta II 264, 286 letum I 74
levamine I 566
levat III 282 levabat III 659 levans III 31 levata III 786
levis II 528 leve II 117, 472 levem II 350 levibus I 281 leviorem I 278 leviores I 280 leviora I 447
levum I 239 levo I 240 leva II 586
lex III 539, 557, 563, 568, 584, 689 legis II 137 legem I 229, 236 III 542, 544 lege I 235 II 161, 247, 248 III 58 legum III 576 legibus III 571
libans II 236
libebat I 94 libeat III 538 liberet II 152 libens I 70
libello I 8
liber I 841 libri I 120 librum I 3 libro I 12 III 43 libris I 738 II 444 libros II 580
liber III 424 libera I 242, 761
libertas I 511, 512 libertatem II 277
libres I 515 librentur II 693 librassem II 357
licentia I 166 II 308
ligato I 287
lignum I 372
ligustra II 263
lilia II 253, 281

limato II 257
limi I 374
limine I 750
limite I 677, 678 II 257
linea I 370, 817 II 255 III 183
lingua II 226 lingue I 137, 595 linguam I 590, 765 III 247 linguis I 248
linguipotens II 359
liquet III 343
lira II 85
lis II 677 litem I 774 lite II 241
livens I 804
livor I 796, 804, 805 livore II 103
locabit III 784 locaverit III 782 locet III 787 locans III 781 locatis II 299
localem III 259
locus I 426, 647, 700, 704 II 346, 552, 618, 619 locum II 581 loco I 409 loca I 474 III 32, 215, 224
locusta III 420
longinquas II 551 longinque II 131
longus I 100 II 274, 311 III 60 longo I 339 II 683 longa II 322, 697 longissimus III 189 longissima III 186 longe I 215 longius II 571
loquacem III 247
loquelle II 221
lota II 425
lucidus II 311
lucratur II 396 lucrabar I 281 lucretur I 771 lucrandi I 392, 658 lucrando I 508 lucratus I 516 lucrata I 165
lucrum I 568, 653 II 704 lucri I 523 lucra I 503, 572, 714, 718
luctum II 488, 550
ludere I 599, 658 lusisse I 515 ludunt I 666, 837 lusit I 654 ludat I 651 ludente II 250 ludendo I 564
ludus I 525, 600, 601, 619, 650, 672, 673, 675, 839, 840 III 23 ludi I 387, 392, 491, 519, 522, 527, 563, 584, 621 ludo I 487 ludum I 509, 564, 655, 838 III 24 ludo I 419 II 1 ludi I 609, 659 ludorum I 507 ludos I 150, 507, 662, 671 III 509 ludis I 502, 834
luens I 197 luitura II 529
lumbi II 324 lumbis III 420
lumen II 432, 447 III 413 lumina III 468, 477
luna III 412
lunaris III 544
lupos I 318
lusor I 400, 508, 570 lusoris I 532 lusorum I 568, 578 lusoribus I 426, 429, 479
lustrator II 238
lustres II 233 lustrans II 357
lustris I 357
lux I 95, 110, 113 III 139, 175, 177, 207, 306 lucis III 323, 553, 754 luci I 109 lucem III 13, 14, 16, 132, 333 luce II 525 III 152, 154
luxuriosi II 122

macredine II 506
macula II 701
maculosa II 306
madescit II 272
magisterio I 756
magnatum I 789, 831
magnificari II 13
maiestate III 433
maledictum II 176
malignos III 484
malorum (noun) II 280
malum II 531 malam III 444 mala I 411
ludere I 599, 658 lusisse I 515 ludunt I 666, 461
malum (noun) III 445 mala II 548, 697, 698 III 445 malis III 446
mandante II 16
mane II 580
manet I 136, 217 III 210, 244, 555 mansit II 487 manens III 270, 329, 360 manentes III 340 mansura II 641
manifestatrix III 140
mansuetudo II 105 mansuetudinis II 285 mansuetudine II 667
manus I 78, 241 II 12, 309, 651 III 790 manum II 530 manu I 378 II 174, 468 manus I 91 manuum II 253 III 271 manus II 251 manibus II 172, 664 III 629

marcida II 508
marcuit II 495
mare III 286, 396
marinos I 361
maris (mas) I 71 III 615
maritat III 159
mariti I 171 marito I 153
masculus III 470
mater I 203, 205, 206 II 347 matris I 197 matrem I 187 matre III 708
materiatum III 176
materie III 174, 178 materie III 138 materiam III 21, 132, 134, 281, 331, 718 materia III 22 152, 154, 332
materiei III 756
materno I 211 maternos II 426
mathesis I 713 III 19 mathesim III 26 matheses I 739 II 74
matrona II 670
matura I 151 III 4 maturos I 412
meatus I 540
mechanicis I 758
mediatrix II 351 mediatricem II 592 III 771
medici II 20
medicina II 19, 97
mediocris I 96 mediocrem II 291 mediomeditetur III 135
criter I 440
meditari III 134, 694 meditabar I 283 meditetur III 135
meditarer II 355 meditanti III 138
meditativam I 246
medulle III 266 medullas II 345, 470 medullis II 486
mel III 584 mellis I 85
melia III 264
melior II 394 melioris II 672 meliori II 214 III 400 meliorem I 486 II 213 meliore III 408, 427 meliores III 296 meliora II 216, 223, 234, 314 melius II 711, 726 III 455
membra II 492 III 235, 269 membrorum II 232, 501, 508 III 265 membris I 249 membra I 249 II 11, 237, 441 membris I 226
meminisse II 235, 576, 669 III 410 memini II 573 III 394 meminit III 259 meminissem II 207
memor II 684 III 23, 806 memorem I 46 II 713, 715 III 806
memoratum III 193
menda II 307
mendacia II 657
mendax I 107 mendacissima II 416
mendica II 530
mens I 592 II 510 III 85 mentis III 307 mentem II 602 III 663 mente II 680 III 431
mense I 306 menses III 643
mense I 308 mensas II 608 mensis II 608
mensura I 742, II 81
mensurare II 84
mentitur II 412
mentum II 301, 665 mento I 56 II 35
mercator I 421 mercatores II 600
merces I 422
meridiana III 54 meridianum III 287
meridiem II 441
mereri III 581 meruisse I 820 meruere I 575 meruissent I 783 meretur II 709 merear III 410 mereretur III 593
meritum I 813 meritis I 808 II 210 III 386
merito (adv.) I 44, 210 III 518, 519
mersero II 432 mersus I 348
metaphisicum II 128
mete III 812 metam I 629, 645
metui II 378 metuit I 772 metuat II 705 metuenda I 132 III 434
miles I 623, 633, 636
militiam I 533, 563 III 536, 578
mille I 81 milibus I 42 II 147
minaci I 376
minas II 365
minatur II 278
ministerium I 753 II 155
ministrat I 69 minstrant I 714 III 248 ministret I 191 ministrans III 18
minutis I 152 II 300
minuunt I 585
mira I 71, 526 miro I 675 II 596 mira III 565 mire I 605
mirabilibus III 651 mirabilior II 496

mirabiliorem I 102
miracula I 158
mirari I 390 miror I 383 II 49 III 703 miretur II 57 mirans II 237 mirante II 354
mirivocum II 59
miserabile I 185 miserabilior I 596 miserabiliter II 153
miserantis II 530 miserande I 769
miserum II 408 miseram II 367, 423 *(bis)*
misteria III 753
mistica I 118
mixtus III 482 mixtum III 487 mixte I 692 mixtas II 696 mixta II 281
mobile II 301 III 172, 208
mobilitas II 326
moderanda III 496 moderandum II 445
moderate I 651 II 303
moderni I 749
modicum II 515 modici III 82 modicum II 531 modico I 565 II 402, 495 III 196 modica II 590 modicas II 288
modicum (adv.) I 156, 749 II 49, 236, 279, 292, 440, 487, 658
modulari I 87
modus I 4 II 389, 638 III 592 modo II 644 III 50, 292, 400 modi I 448 modos I 81, 635 modis I 250, 371, 455, 461, 473, 476
moles III 397
molentes III 417
molle I 241 II 504 mollia II 322
momentanea II 528
monere I 660
monetam I 769
monstrabile II 66
monstrabit III 767 monstrans II 382
monstrum II 44, 45, 56, 66, 67, 74, 82, 86, 100, 128, 135, 140, 156 monstra II 65, 196
montis I 272 monte II 586
mora I 523 II 474, 476 moram II 477 moras II 473
morale II 100
morbo II 707
mordax I 368 II 555 mordacibus I 315
mori III 449, 699 moritur I 192 II 489 moriatur II 527 moreretur I 357 moriendo III 454
morosas I 263
mors I 359 II 529 III 436 mortis II 368 III 450 mortem I 196 III 67, 443, 444 morte I 349 *(bis),* 358 III 450, 701, 780
morsu I 338
mortale I 576 II 677 mortali I 216 mortalibus I 64
mos I 270, 286, 314, 346, 361 morem II 386 more I 17 mores II 100 morum II 105 mores III 647 moribus II 218
motivos III 252
motor III 209 motore III 208
motus I 255, 615 II 81, 189 motus I 619 II 87, 480 motum II 84 motu I 278 motus I 743 motibus I 258, 617 Bk. III *passim*
movere II 385 moveri I 392 III 153, 210, 684 movet I 177 III 179, 209, 302 movent III 211, 212 moverit I 656 movetur III 213, 221 moventur I 627 III 58, 211 moveatur III 209 moveret II 228 movens III 207 moventis III 39 moventia I 416 moti III 356 moto I 287
mulcere I 47
multimode I 383, 527
multiplicare I 31, 80, 306, 608 multiplicasse I 396 multiplico II 387 multiplicabit III 377 multiplicatur I 492 III 616
multiplicatio II 134
multiplices I 682
mulus II 108 mulis II 106
munda II 672 III 628
mundanus III 183 mundanum III 182 mundana III 128
mundus Bk. III *passim*
munimine I 325
munus III 314 munera II 271, 341, 387 III 703, 788 muneribus I 417 II 209, 340, 386
murmurat II 85
murmure I 249
musica I 90 III 27

musto II 443
mutabilitatem II 87
mutabilium II 86
mutare I 735 III 214 mutabat I 408 mutabit III 388 mutavit I 6 mutavere III 639 mutatur III 598 mutans III 609 mutaturis I 317 mutatus II 89 mutata II 499 III 607 mutatas II 496
mutatio I 9, 527 II 200, 497 III 284
mutativa III 553
mutilato I 738 mutilatos II 92
mutilum II 151
mutua II 352
mutuo (noun) II 607

nacta II 400 nactis III 224
naris II 276 nares II 543
narrat II 399
nasci III 614, 665, 705, 708 nascuntur I 434 III 706 nascitur II 476 nati sunt III 297 natus I 196 natarum I 760
nasus II 261, 273, 665 naso I 354 II 261
natus (noun) I 186 nati I 185, 189 natum I 395 natos I 68
natura I 209 II 6, 9, 90, 136, 209, 216 III 367, 369, 380, 730 nature I 222, 229 II 86, 93, 202 III 559, 690, 713 naturam III 172 naturas III 478, 667, 698
naturalis III 466 naturale III 366 naturales III 254 naturalibus II 204 III 404 naturaliter I 73 II 109 III 697
necessarium III 47 necessario III 363
necesse II 413 III 210, 212, 365, 768
nectit I 820
nefas I 548
negare I 586 III 49 negat II 277 negavit II 9 negares II 369 negaret I 368 negassem I 28 negetur I 542 negata est II 480 negatum est III 448 negata I 587 negatis I 587
negligo I 233 negligit I 134 neglecta I 53
nemo I 145 III 587, 679, 765 *(bis)*
nemus I 283, 300, 302, 314
nequam II 102, 116 nequior II 104
nequitia II 108
nervi I 295 II 304 III 241 nervos III 3, 251
nervosa II 502
nescia III 812
nescio II 412 III 680, 734, 735 nescit I 509 II 32 nescitur III 301
neuter I 253 neutrum II 25, 142, 692 neutro II 692
nigellam II 266
nigra II 255
nitet III 774 nitebat I 113
nitidis I 49, 380
nituntur I 520
niveus II 282
nix III 285 nive II 307
nobilis I 650 II 551 nobile II 644 nobiliorem I 105 nobiliores I 671
nobilitatem II 215 III 313
nocebit I 504
nocturna III 469
nodosa III 561 nodosis I 371
nomen I 8, 12, 216, 821 III 79, 94, 291 nomine I 739 nomina I 575, 721
nominat III 293
nonagenarius I 703, 707
noscere I 710 novi III 670, 680 novit I 721 II 77, 88 III 347 noverunt I 658 III 62 norit II 404 notum I 837 notis II 570
notatur I 124 notassem II 614 notanda II 290, 424
notificare II 335
novacula I 57
novitate I 157 III 613
novum III 745 novo I 83 nova III 354, 363 novas III 377 novis I 159, 188
nox II 439 nocis II 431 noctem II 438, 442 nocte I 84, 380 II 424 III 182 noctibus I 297
nubes III 413
nudus II 667 nuda II 263 nudam 331, 435, 478 nuda II 174
numerabilis I 44
numerata II 599 numeratos II 451
numerus Bk. I *passim* numerus II 81 III 299, 380, 728 numeri III 563 numerum III 299, 730, 731 numero II 83 III 385 numeris III 58
nummi II 606, 617 nummos II 617 nummis

II 598, 627
nummismata I 396
nuntius II 615
nupta I 146, 148, 173
nutet I 556
nutrit I 311 III 256, 631 nutrivisset I 202 nutrita II 246
nutrix II 361 nutricis I 212
nutum II 693 nutu III 39

obedit III 59, 303
obiectum I 108 *(bis)*
oblectarentur I 289
obliquus I 628 obliquum I 626 II 275 oblique I 633
oblivio II 702 III 9
obnoxius III 67
obsecro II 371
obsequii I 818
observarent I 253
obsidione I 328, 601 obsidionem I 546
obsurdescat III 416
obtinuisse II 719 obtinuit I 787 obtineas II 436
obtundere I 297 obtusos III 755
obumbretur III 412
obvia III 559, 713
occasio II 619
occidet III 549
occisio III 550
occultat I 302 occultant I 323 occultans II 268
occupat II 153 III 460
occurrere II 321 occurro II 571 occurri II 588 occurrit II 358 occurritur II 569
octonarius I 705
oculata III 710
oculus II 238, 337 oculi II 665 oculorum II 225, 259, 272 oculis III 669 oculos II 229, 268 III 755 oculis I 142, 189, 464
oderit II 601
odium II 677
odoriferis I 274
odoris II 672 odore I 29, 392 II 668 odores I 275
offendor II 450
offerre II 295, 588 offert II 298, 635 III 177, 204 oblata II 342
officilia III 269
officio II 67
olfactum III 510 olfactu I 275
olimpiades II 494
omnipotens III 93, 97, 101, 111, 112, 401, 777 omnipotentes III 102, 104, 105
omnipotentatus III 114
omnipotentia III 98, 107
onerosa I 146
onus II 17, 192
opaca I 350
operam I 155 operas I 757
operatur I 531
operosa III 397
opinio III 451
oportet I 228, 757 II 413 III 794
oportunam II 401
oppositum III 217 oppositi III 223
oppositas III 159 oppositis III 143
opprimet III 549
optabilis I 24
opto III 449 optat I 577 II 397 optati II 645 optatum I 415 optato II 683 optata I 220
optima III 806
optio II 641
opus I 15, 140 III 804 opere I 720
oracula II 587
oram I 373
oratio II 53
orba I 127 III 44
orbicularis III 216 orbicularibus III 57
orbis III 196, 197, 199, 290 293 orbe II 202, 219 III 199, 301 orbes III 352
ordo I 689 II 297 III 802 ordine I 675, 683, 830 II 572 III 171, 232
organa III 65
organicam III 328 organicis III 372
origo III 76
oris I 339 ori I 310 os II 544 III 83
orizontas III 325 orizonta III 288
ornari I 49
ornatus III 509 ornatu I 141

orsa II 403
oscea II 14
oscitet II 542
oscula I 247 II 295, 666
ossa I 11
ostia I 407 II 448, 458
ostro II 244
otia III 418
ovantes I 310
ovium I 319
ovum II 18, ova II 15, 20

pacificari II 691
pacis I 779 pacem I 775 II 257 pace II 241, 372, 675
palleat II 180
palliolum II 392
palpant I 830
palpebra II 269
pando II 572 pandit II 276 pandens II 366
panem II 532
paradigma I 33
parare II 294 parat I 183 III 437 pararem II 2 paranti I 367 paratus II 430 III 761 parata II 661
paratus (noun) II 329 paratu II 596
parci II 481 parcis I 309 parcas I 307 parcatur I 319 II 482
parcis (adj.) II 211 parce III 657
parent III 69
parentis (noun) I 192 parentem I 207
pari I 587 pare II 83 *(bis)* parium I 700 paribus I 678
parum II 185, 251, 262, 294 III 552 pariter III 189
paries I 115
parit I 524
paritas I 691
pars I 52, 194, 699, 738 II 54, 396 partis I 62 II 52 parti I 681 II 54, 396 partem II 94, 328, 391 parte II 53, 586, 615, 703, 704 partes II 552 Bk. III *passim*
parturiendi II 565
partus I 137 partu I 163 II 564 partus II 671
parva I 662 parvi I 659 parvam III 55 parvo II 498 parva II 427 parva I 660 II 333 III 415
pascere I 103, 104, 564 pasci I 522 pascit III 155, 256 pascunt III 275 pascat I 415
passibiles II 278
passio II 75
passiva III 473
pastoris II 188 pastores I 292 pastorum II 505
pater I 204, 222 II 173, 347, 367, 428 III 76, 595 patris I 685, 687 688 patrem II 559 patre I 395 II 164, 173, 382 patres I 680 patrum II 168 patribus I 727
patere II 466 patet II 415 III 721 pateat I 541 pateret III 644
pati I 123 III 130 patitur I 759 III 381 patiuntur II 123, 124 pateretur II 511 passa sit II 407 patiens II 17 III 147 patiente III 147 passus II 191 passa I 86 passo I 181 passi II 178 passis II 191
patientia III 70
patrare III 652
patriarchos II 165
patrie I 813 patriam III 437 patria III 450
patrios II 569
patronum I 768
patulam III 246
paulatim I 401 II 344, 433
pauper I 73 paupere I 395
paupercula II 358
paupertas II 374
pavidas I 299
peccabo I 231 peccatum sit I 232 peccandi I 166, 168
peccato (noun) III 649 peccata I 197
peccatricis I 167
pectine I 379
pectus II 395, 503 pectus I 47 pectore II 226, 318 pectora I 243 II 343 III 744
pecunia I 819 II 599, 622
pecus II 144, 151
pes II 326 pedum III 271 pedes I 50
pedes (peditis) I 623, 625, 628, 636, 645
pedisseca II 594, 635
pelice I 174

pellibus II 175, 503
parvula II 319
pellicium II 392
pena II 528 III 386 pena I 587 penas II 369
peniteat II 631, 632
penitus II 699, 700 III 439
penna I 301 pennas III 29
pensa II 375
pensat I 813
pentimemerim I 17
peplum 391
percurrerit I 629
percutitur I 493 percutiaris I 312 perdis I 582 perdant I 537 perdiderim I 517 perdiderit I 505 perdendo I 509
perdita (noun) I 572
perditione I 573
perducatur II 129
peregrinat III 17 peregrinet I 374
perfecta III 431 perfectum I 735 III 101 perfectam I 43, 701 perfecto III 38 perfecte I 736, 737
perhennat I 164
perhennis II 677 III 727 perhennes II 540
perhibent II 113, 328
perhorret II 84
pericula I 147, 214 II 366 periclis *(sic)* I 217
perit III 319 periit II 40 perierunt I 831 pereunte III 319
perlegerit I 18
permittas II 373 permittitur II 238
permixtas II 709
permutat III 606 permutant I 474 permutent I 559
perne II 391
pernix I 520
perpendi II 421
perplexa I 187
perpes III 349
perscrutor III 686
persona II 287 persone I 651 personam II 71, 207
perstrepat II 434
persuadebit II 70
pertinet II 561 III 359, 472, 473
pertingat II 193
pertractet II 174
pertransiri II 317
pervenit I 645
perversa II 101 perverso I 555, 830
pervia III 753
pessimus II 708
petit I 372 petito II 78
phaleris I 271
philopecunia I 759
philosophari I 719
philosophi III 736, philosophorum III 458, 726 philosophos I 722 philosophis I 752 III 723
philosophia I 758 philosophie I 760
phisiognomicorum I 731
phlegmon III 264
pia II 423 pias I 303
picturis I 116
pietatis II 360
pigeat III 808
piger II 110, 111, 114, 116 pigra 687
pignora I 68 II 600, 625, 627, 640, 652
pilis II 263
pilosis II 174
pinguedine II 169
pingues II 324 pingue II 535
pisci I 367 pisces I 361 II 534 III 296
placere I 578 III 765 placet I 39, 60 II 719 *(bis)* placent I 157 placebant I 282 placuit II 567 III 334 placeat I 802 II 50, 526 placeant II 698 placeret I 711 II 150, 526 placiturus III 411
placidum II 589 placidam I 712
plananda II 252
planeta III 469 planete III 467 planete I 616 III 162 planetis III 253, 283, 463, 523 planetas I 635
planta II 29, 43 plantam II 30
planum II 304 plane I 710 III 669, 747
plebe I 154
plenus II 310 plena II 322 III 792 plenum II 304 plenos II 613 plene I 481 III 644, 758
plerumque I 237, 285, 819 II 167

plumbum I 372 plumbi III 743 plumbo I 406, 408
pluvie III 286 pluviam III 413
pollere II 328
polo III 184
ponere III 83 poni I 409 ponit III 675 ponunt III 487 ponet III 712 posuit II 252 posuerunt III 89 ponas I 510 ponamus I 229 ponitur II 76 positus est III 145 positura sit III 690 posito I 511
pontificare II 156 pontificaret II 194
pontificatu II 158
poplite II 326
populus I 790 populi I 791, 793 populo I 809 populo I 180 792
porca II 151
porta III 669 porte II 458 portam II 523
portendit II 275
portentis III 651
portio III 785
porto II 653 portant I 690, 747
positiva I 230 positive II 137
possessio I 403
possibilis III 668
possidet III 156 possessura II 345
posteriora III 126
posteritati I 737 III 31
posti II 449
postponit I 828 postpositos I 48
postremam III 542
potens I 97, 226 II 209, 263 III 547, 645 potentem II 727 potentes I 306 II 198
potentia III 144
potestas III 792
potior (adj.) III 458
potiri I 220 potiatur I 417 potiturus II 642
poto II 443 potatura I 184 potandi I 412
potu III 657
prati I 76 prata I 98, 282
praxis I 840
preacuta I 368
prebet II 309
precara II 636 precare II 419
precellit I 786
preceps III 165 precipiti I 273 precipites I 332
preceptum I 233, 234 precepta III 735
precessisse III 540 precessit I 529 III 769 precesserit III 551 precedens II 131
precipito II 450 precipitantis I 377 precipitantius I 544 precipitate I 550
preclare III 645
precluserit I 543 preclusa sunt II 312
preco III 775
preconia I 117 II 231
preda I 825
predecessores I 399
predixi III 96 prediximus III 502 predictum est III 589 predictus III 570 predicti I 469 III 648 predicta III 501 predictis I 653 III 572, 715
predocuisset III 711
preesse II 185
preferri III 577 prefert II 168
preficiunt I 793 preficitur I 809
prefulgurat II 244
prelata III 794
prelatura II 193
premeditavi I 607
premi I 122 II 320 pressa II 469 pressam I 243
prenarrata III 498
prendere I 301, 323
prenosse III 590, 661
preoccupo II 478 preoccupat I 540
preordinat I 829
preparor II 442
preponderat II 660
preponi II 47 prepossit I 177
presens II 483 III 504, 505, 526 presentis III 582 presentia III 600
presentet II 177
prestare I 428 prestarent I 730 prestantes I 438 III 476, 499 prestantia II 220
presto (adv.) II 240
prestolor II 437
presumimus III 541 presumunt III 63 presumet I 110 presumitur I 171 presumentes II 111
pretendo I 391 pretendit I 152 pretensas I 327
pretereo I 662, 671 preteritura II 585

preteriturum I 352 preterita I 358
pretium I 720 pretii III 82 pretio I 410
pretiosus I 121 pretiosa II 595
pretoria I 763
preveniens II 571 preventurus I 254 preveniendus I 253
previdit III 803
primogenituram II 163
primogenitus III 635 primogenito II 567
princeps III 536, 727
principiet III 90 principiatum est III 87, 95 principiantes III 88
principium II 87 III 87, 93 principio III 86, 641 principio I 679 III 674 principiorum I 748 III 461 principiis III 488
prior I 389 III 634 priore II 725 priores III 33 priorum II 162
prisca III 68
probabile II 363 probabiliorem III 573
probabilitatem III 687
probat II 160, 166 probetur III 501 probantes III 462
probatio II 516
probra I 491, 493
procedo II 465 procedunt I 526 procedat I 826 processerit I 15
proceres I 602 procerum II 324
processive I 66
processu I 276
proclamatoris I 765
procurator II 598 procuratore II 568
procuret I 183
prodiderit II 365 prodat I 137 proderet II 383
prodesse II 185
prodiga I 137 II 211
prodigiis III 651
prodigiosam II 88
proditionem II 275
producere II 417 producit I 702, 706 produces I 457 producet III 799
profundum I 141
prognostica II 584
prohibere II 559 prohiberet II 14 prohibetur I 231, 232
proiectus I 201
prole I 305
prolixi III 627
promissa (noun) II 385
promissio II 378
promittere II 387 promitto II 364 promittit III 583 promittunt III 582 promittet III 565 promittat I 159 promissura est III 586
promotio I 807
promotor I 818
promovet I 812, 827
promptos I 330
promulganda III 555
prona I 199
propagabitur III 800 propagarentur I 223
propheta III 634 prophete III 622, 647, 722, 736 prophetam III 614 prophetas III 664 prohetis III 715
propinque II 131 propinquior III 166
prope III 639 propior III 641 propiori III 162 propiores I 437
propono II 363 proponit I 772
proportio I 107, 744 III 148, 754
propositum (noun) II 405
proprietates III 493
proprius I 23 proprium III 99, 383 propria III 225 proprios III 387 propriis I 79 proprie I 530 III 277, 459
prosequar I 670 prosequeretur III 789
prostat I 763
prostituunt I 716, 780
protelat I 773
protensis I 364
proverbia I 754
providerit III 692 provisum erit II 188 provisura sum II 592
providus I 53 II 445
provocat I 176
proximitate III 441
prudens I 135, 421 II 384 prudenter I 752
pubem II 440
publica I 201
pudet I 661 pudebat I 660 pudeat I 564
pudicum I 762 pudicos II 10
pudor II 481
puella I 122, 293 II 384, 499 puellis I 51

puellas I 31, 659
puerilia I 189
pueros I 727 III 631, 632, 655
pugna I 711
pugno I 493
pulchre I 562 pulchrius I 835 pulcherrimus I 839
pulmo I 191 III 240 pulmonis III 246
pulsat I 576
pulsu I 92
pulvis III 423
punctatio I 446
punctatura I 439, 442, 455, 530, 531 punctature I 452, 477 punctaturarum I 475 punctaturas I 459 punctaturis I 466, 477
punctum III 135 puncti III 139, 601 punctum III 639
punica II 280
pupillam II 266
purget I 179 purgando I 587
purum III 654 puri III 706 pure II 272
puto II 329 III 757 putas I 806 II 470 putabam II 4, 574 putes III 55 putet II 175 putares II 281, 603 putatur III 538 putando II 314
putris I 54 II 16 putre II 532
pyramidalem I 363 pyramidales I 290, 699 pyramidalibus I 698
pyramis I 703 pyramidi I 702 pyramidem I 701, 704, 706 pyramides I 708

quadrati I 683 quadratis I 709
quaterna I 444
queat II 47, 117 III 214, 682 queant III 33
querere I 345 III 35 quero I 390 querit I 142 querebat I 723 queram II 622 quesiero II 623 quesieris II 609 queras I 779 queritur I 15, 647 queruntur III 646 queratur I 652 II 183 III 88 quesiturus sum II 724 querens I 3 querentes I 718 querenda II 351 quesita II 182
questio II 634, 679 III 81, 561, 713
questu I 307
quiescit III 185, 186, 225 quiescunt II 241
quieti III 51 quiete II 590
quietum III 359 quietam III 350
quina I 445
quintuplicatis I 457
quotitati I 688 quotitatem I 687 quotitate I 685

radebat I 57
radians II 245
radix II 34 III 174, 720 radicem III 720 radice II 31, 32 III 178
ramosa I 336
ramus I 130 ramum I 331 ramos I 336 III 272 ramo I 331
rancor II 678
rapax II 110, 114, 116
rapida III 179
rapit III 252
raptu (noun) III 304
rara II 249 raro I 436 II 453
ratio I 592, 811 rationis III 72 ratione I 581 II 422 III 258, 368, 390, 684, 741 rationibus I 221 II 365 III 73, 740
rationali III 353
ratus II 362
recedit III 198, 222, 288 recedunt I 751 recessi II 675
recenti II 443
receptricem I 67
recido II 440 recidisset II 20 recisa III 792
recipi I 548 recipit III 438 receptus eram II 675
reciprocet I 546
reclinare II 430
recludo II 522 reclusam esse III 13
recolo II 680
recreent I 566 recreanda II 590
rectus II 327 III 221 rectum I 625, 631 recti II 323 recte I 489, 490
recurrere I 538 recurrat III 421 recurrant I 536
recurva II 319
redarguar III 455
reddere I 572, 757 II 644 III 461, 489 reddit II 656 III 138, 483 reddunt II 658 reddebam I 278 reddebat II 379 reddet I 447 II 643 reddiderat II 213

reddidero III 427 reddat II 336 redderet I 712 I 347 reddenda III 386 reddendos III 433
redit I 501 II 291, 399 rediiset II 615 rediens I 65 redeunte I 262 reditura II 685 rediture I 291
redimit II 155 redimendo I 348
reditum I 367 III 448
redivivum I 12
reduci II 95
referre I 661 referri I 11 refero II 640 refert I 503 referas II 642 referendis I 13 relata II 55
refici I 75
reflecti I 65 reflectitur III 149
reflexus III 356 reflexu II 250
refocillari I 127
reformata II 241
refrigeret I 340
refusuram I 68
regia (noun) III 396
regia (adj.) I 637
regio II 264 III 44 regionem I 244 III 246, 280 regione III 225
regit II 94 III 41, 64, 155, 280 regunt III 275 regitur III 301 regatur III 277
regnat I 742, 759 II 80, 102 regnans II 486
regni III 613 regna III 452 regnorum III 606
regredi I 552
relatio II 58
relativo II 55
relegat III 438
relevare II 2 relevabam I 381 relevabant III 8 relevabar II 3 relevetur II 703 relevarer I 285 relevantem I 505
religionis III 490 religionem III 500, 522 religione I 165 III 517, 587
relinqui I 411 relicto II 568, 586
reliquias III 393, 787
reliquus III 90 reliquum II 92 reliquo I 578 reliqui I 437, 474, 697 reliquos III 495 reliquas III 541
remanere I 518 remanent II 248 remanebat I 410 remanerent I 603 remante II 567
remeare II 569
reminiscitur III 395
removetur III 174 remotum III 178 remoto II 465 remota III 119 remoti II 125 III 205 remota I 157
renascendi I 340
renes II 395
renovari III 393 renovet I 546 renovarent III 10 renovando III 400
renuit I 39
reparare III 399 reparet I 341 reparato I 56
repedantem II 607
repellat II 178
rependere I 320 rependit II 638
reperire II 90 reperiri II 146 reperit I 191 repperi II 487 reperitur II 497, 655 repertum I 350
repetam III 6, 8 repetentem I 337
repleverit I 186
reprehendo II 409
reproba I 807
reprobabilis II 20
repromitto III 409, 763
repulsam (noun) II 178, 407
reputare II 198 reputo II 199, 453 III 443 reputat I 768 II 482 reputant II 122 reputabam I 27 reputatur I 34 II 127 III 82, 202 reputanda III 585
requiro II 468
res I 426 II 166, 382, 415, 616 III 475, 579 rei III 123 rem I 822 II 367 re I 823 II 630 III 728 res III 127, 728 rerum I 521 II 86, 157 III 14, 35 res III 34, 731 rebus I 151, 725 III 113
reseraro II 432 reserandas I 747
residet II 158
resipiscendum III 575
resolvi III 366, 368 resoluti I 295
respondere I 21 II 519 respondes I 487 respondent II 242, 664 respondentem III 328 respondente II 55
res publica I 722
restat III 5, 713 restitit I 760 restaret I 241
restauret I 547
restituatur I 555
restringatur III 95

resumo II 521, 522 resumet III 385
resurgere I 262 III 695, 699, 700 resurget III 799 resurgent III 364, 382 resurgat I 558 III 794 resurgendi III 798, 800 resurrecti III 796
rethibus I 298, 362
rethiolorum I 327
rethorice I 763 II 67
rethoris II 68
retinere I 296, 338, 551 II 606, 613, 654 retinet III 255 retinebitur II 425 retenta II 401
retortas II 288
retrahat III 54
retrocedant III 52
retrorsum II 323
retrovertere I 321
retundere II 154
reverendum III 37
reverentia III 406
reverti I 2 III 447 revertatur III 496 reversa II 383
revocare I 48, 83 revocabant II 464 revocavit II 510 revocarent III 10
revolutio III 191
revolvere II 580 revolvo II 680 revolvissem II 356 revolvens II 438 III 758 revoluto III 603
rex I 623, 625, 626, 627, 636 III 546, 569, 771 regem I 699 reges I 697, 708 regibus III 436
ricta II 277
rictus II 148
ridet II 291 risi II 582 ridebitur I 111 ridens II 264, 635 ridentem II 666 ridente II 284, 296
riget II 305
rigor I 81 rigore I 507 rigoribus I 542
rimatur III 15
ripa II 272 ripe I 347
risus II 148 risus I 179 risu II 699
rithmimachia III 24 rithmimachie I 672
ritus II 138
rivali I 175
rivo I 273
rixa II 676
rixant I 574
robore III 567
roccus I 623, 631, 638
rogo II 373 rogaret II 287
rore II 169 III 282
rosa II 495 rosis II 281
roseus II 282
rota III 423
rotatio II 267
rotundum II 243 rotundi I 695 rotundis I 694
rubere II 179
rubeus II 283
rubore II 292
rudis I 764 II 457
rugosus II 112
rumpat II 429 rumpatur III 421 rupta est I 547
ruo II 666 ruentes I 332 ruitura II 708
ruptura (noun) II 13
ruris I 1 rure I 764
rustice I 776, 778

sacerdos II 140, 141
sacra III 710
sacrificare II 149 sacrificari II 148
sagena I 362
sagitta I 353
saligna I 409
salire I 330, 632 salit I 625, 630, 633, 646, 665 saliunt I 624, 631 saliens I 373 saliendi I 635
salivam I 248
saltat I 293
saltus I 620, 622 saltum I 634 saltu I 272, 626 saltus I 608
salutat II 636 salutant I 750
salutis III 772
salva II 622 III 70 *(bis)*
salvat I 30 salvatur I 63
sanciat III 391 sanxierit III 370
sanies II 544
sanguis III 263 sanguinis I 80, 817 sanguine I 354 II 376, 449
sanus II 94 sano II 604
sapientia I 815

sapientes III 82 sapientibus III 625
sapit I 311
satagens II 387, 588
satelles I 655
satisfieri I 582
saxosum II 503
scaci I 622, 690, 693, 695, 698 scacorum I 600
scale II 451
scandala I 215, 218 II 511
scapularum II 502
scatentes I 272
scelus I 193 II 529
scema I 467, 530 scemate III 355, 495 scemata I 470 scematibus I 478
scibilis III 120
scintillula II 344
scire I 659, 833 II 602 sciri II 383 III 648 scio I 39 III 12 scis I 500 scit I 140 sciebant I 742 scivit I 227 III 331 scieram II 520 scias II 639 sciat III 719 sciant I 715 sciret II 367 scietur III 126 sciretur I 672, 712 scito I 635 sciens I 279 sciturus III 37
scitores I 740
scripsisse I 618, 642, 649 scribit I 90 III 27 scribunt II 118 scribam III 31 scripsit III 634 scribendis I 738 scripta III 539
scriptis (noun) III 626
scripture III 562
secreto II 561 secretis I 242 secretos I 95 secreta I 138 III 758
sectantes I 378
secte III 590, 618 sectam III 608, 638
sec(u)li III 521 secula III 803
secundum I 630 III 523 secunde III 493
sedat II 679
sedes II 665 sedem III 633 sede III 631
sedet III 631, 633
sedulus I 19 sedula II 361 III 14
segnes I 393
semel I 317, 359 II 332, 436, 660
semen II 33 III 242, 248 semine II 30
semisperia II 270 III 325
semita III 721
semivir II 22 semiviros II 8, 21
senarius I 701
satagebat I 78 sategit II 674 satagatur I 808
senectam II 372
senectus II 685, 708 III 4
senes II 577
senilis II 501
seniores I 792 senioribus I 726
sensibili I 107 III 658
sensim I 262
sensus I 55 III 242, 251 sensibus I 105
sententia I 120 III 68, 458
sentio II 466, 666 III 71, 258 sentit II 190 senserat II 566 sensero II 455 sentiat I 193 sentirem III 456 sensurus I 358
separat III 318, 327, 378
septa II 585
septentrio III 53
sepulchro I 10
sepulta I 261 sepultis II 426
sequaces I 391 III 19
sequi I 317, 355 II 202 sequitur I 136, 494, 495, 501, 514 II 63 III 102, 286, 361, 535 sequuntur I 491, 510, 513 sequatur I 169, 506 III 387 sequerentur I 784 sequens III 735 sequente I 753 sequentes I 442 sequendam III 762 secutus III 43 secuto II 293 secuti II 139
seram II 459
seriatim II 268
series I 207, 554 serie II 299
sermo I 834
sero II 458, 647, 653
servare I 378 II 457 servat II 661
servire II 650 III 228, 239 serviero III 429 serviat III 300 serviti I 19
sexus I 25 II 203 sexum I 73 sexu II 27
siccus III 471, 480, 481 sicca I 643
sidera III 364
sidereas I 85
sigillatim II 237
sigillatio I 135
sigillo II 612
signavi II 613 signato I 61
significare III 463, 498, 500, 522, 733 significat III 519, 545 significant III 613 significet III 501 significans III 604, 609

638 significantis III 588 significandas III 79 significata III 773
significatio III 507, 534
significator III 562 significatores III 40
significatrix III 645
signum II 38 signi III 641 signum I 569 III 621 signo III 619 signorum III 198 signis III 464, 652 signa I 616, 635 II 460 III 465 signis III 596, 618
silva I 61 II 34, 243 silve I 60 silvam I 57 silvarum I 282 silvas I 97
simplex III 119 simplicium I 431
simplicitati I 308, 318 simplicitatem III 118 simplicitate III 120
simulat I 150 simulavit II 418
simus II 274
singula (nom.) II 234, 239, 459, 665 (acc.) II 82, 224, 233, 236, 357, 572, III 32, 170
singultus II 541
sinistro I 516 sinistra II 454, 456
sinuosus II 327 sinuoso I 50 sinuosa II 255
siphac II 13
sistitur III 145 sistatur III 802
sistrum I 293
sitibundas I 342
sitis II 537
situalis III 466
situs II 259
sobolem I 126
sociabus I 138
socio I 486, 491, 583
sol III 412 solis III 412
solacia I 3 II 705 III 18
solet I 33, 762 III 417 solent I 554 II 428, 454 solebat I 47 soleram II 197 solitus eram III 2 solitus II 457
solidum I 518
solivage I 536 solivagas I 537
solitum (noun) II 213, 341
sollempnizare I 172
sollertia I 532
sollicitare I 316 sollicitaram II 343 sollicitaveris II 371
sollicite I 29
sollicitudo II 554 sollicitudine II 348
solubile III 369
solum (noun) III 45
solutio II 679
solvere II 694, 695 solvendam II 635
sompnia III 662
sompno II 469 III 657
sonoris I 48
sontibus I 381
sonuissent III 711
sonus II 81, 488 sonos I 591
sopitur II 492 sopita II 241
sopori II 441 soporem II 429 sopore II 426
sorbetur I 344
sorbilibus II 443
sordida I 825
sororis II 359 sorores II 208
sors I 486, 656 sorti I 384 sortem III 588 sorte I 525
sortitur III 249
spado II 27, 107, 128, 140, 171, 190 spadonem II 170 spadones II 106, 121
spatio II 404
spatiosa II 251 spatiosam III 257 spatioso I 268
specialis II 105 III 797 specialiter III 239, 301, 697 specialius III 276
species I 63 II 62 III 277, 376 speciei III 311, 693 speciem I 519 II 60, 334 III 155, 309 specie II 63, 630 species I 607, 622 II 65, 393 III 524 specierum III 299 speciebus III 305, 310 speciebus I 620
speciosa II 62
spectabilis II 297
spectet II 187
speculativam III 314
speculatores II 265
speculatrix III 378
spera III 150 III 156 speram III 188
sperare II 339 III 448 spero III 407 sperabat I 352 sperem II 726 speranda I 210
sperma II 33, 40 spermatis II 38
spes I 557, 818 II 40, 420, 489, 512 spem II 380, 409 spe I 340, 560
spica III 774 spice III 630
spirare I 190

spiritualem III 656
spiritus III 424, 659, 744
splen III 241, 250
spoliatos II 91
spolium I 58 spoliis I 77
spondet II 271
sponsa (noun) I 86 III 474
sponsus (noun) I 170 II 552 III 474 sponsi I 86 II 12 sponsum II 566 sponso II 564
sponte I 68, 123, 545 II 321
spuat II 545
stabiliri III 563
stabilone I 287
stadii I 629
stare III 346, 365, 381, 408 staturum esse III 692 stabit III 382, 567 stabunt III 362 stet III 365, 375 stantis III 357 stante III 572 standi II 71 III 144 standum III 389
statera II 693
status II 102 III 350, 355 statum II 291 III 361, 795 statu III 354
stellatum III 251
stelle III 298, 412 stellarum III 303, 489 stellas III 774
stercus II 547
sterili I 560 steriles II 107
stillas II 276
stimulans I 245 stimulatus I 328
stimulum I 245
stipendia I 729
stipite I 77
stomachus III 243, 249 stomachum I 311 stomacho II 16
strato (noun) II 469
stratus erat I 76 strata III 631
strenuus III 116
strepitus II 461, 678 strepitu I 315
stringit I 188
strophio II 325
student I 833 studeret I 787
studiosos I 741
studium I 763 studio III 12 studiis II 126
stultus I 495, 501, 514 stulte I 776
stuporem II 488 stupore I 187
suadere III 808
subalternant I 561
subareos II 392
subdere III 2 subdit I 147 subduntur I 683
subducere I 20 subduci II 349
subduplicarim I 16
subesse III 724 subsunt I 684
subicitur II 61 subiecta I 447, 464, 710 subiectum II 132 subiecto II 75 subiectos II 186
subiectio I 71
subigatur I 557
subiungo II 365 subiunxit II 591
sublatus erit III 570
sublimare III 793 sublimat I 301, 816, III 281 sublimant I 832
sublimis III 15
submersio I 302
submitteret I 239
subridens II 573
subscripta I 483
subsidet II 264
subsidium II 370 subsidii II 420
subtilis III 153 subtile I 607 III 234 subtilem III 282 subtilia II 322 subtilibus III 566 subtilior III 306 subtilius III 233 subtilius (adv.) I 465
subtraxisset I 208
subvertens I 773 subvertente I 273
succedere I 553 succedit III 494 succedunt I 445 seccedentem III 599
succendit III 261 succensa I 380
successio I 523
succinctum I 335
succubuisse I 563 succumbit I 805 succumbat I 348 succubiturum I 771
succurri II 610
sue II 533 sues I 333
sufficienter II 664
sufficio I 390 sufficit II 632 III 372 sufficiunt III 462 sufficiebat I 104 sufficiam II 650 sufficiet I 37 sufficiat I 841 II 374 sufficiens II 549 sufficiente II 252 sufficientia II 650
suffoco II 447
suggente I 248
suggerit II 619 suggesserat II 338

sulcatus II 505
sumpserit III 783 sumeret III 777 sumatur III 339 sumptus I 775 sumpta III 784
sumptibus I 723 III 20
supera III 270 superi I 193 III 164 superos II 371, 454 superis II 150
superaddunt I 686
superare II 514 superabit I 108 superatur II 692
superba I 70 superbos II 269
supercilii II 255 superciliis II 261
supereminet II 243
superesse I 281, 432 superest II 673 superesset I 208
superevigilandam I 246
superexaltans III 781
superiacet II 256
supernatat I 372
superposito I 471
superstat I 106 III 353
supertracturus I 288
superveniens I 178 II 550 suervenit III 139
supplere I 212 supplet II 96
supposuisse II 174, 175 supponat I 71 supponens II 160 III 559 supposito II 78
supraparticulares I 684
suprema III 401 supremi III 65 supremum II 566 supremam I 402 III 36
surgere III 416 surgit III 714 surgunt I 470 surget III 561 surgat II 134 surrexerit III 779 surgente II 318
surrectio III 357
suscipior II 667 suscipiendam III 140 suscipienda II 295
suspectus I 650 II 35
suspendat III 569 suspensis III 630
suspicione II 353
suspiria II 541
sustendando II 434
sustinet I 143 III 392

tabella I 447, 663 tabelle I 689
tabula I 710 tabule I 693
tacere III 746 taceo II 673
tacitus (adj.) II 680 tacitis I 117 tacite II 433, 466
talia (noun) I 381, 579 talibus I 385
taliter I 386, 404 II 133
tangere II 331 tacto I 91
tardo III 52 tardior III 206 tarde II 647, 684
tectum (noun) II 590
tederet I 602
tedia II 556
tedis II 551, 556
tegit II 312, 394 tectis I 406
tele II 393
tellus III 396
temerarius I 334, 494
temerum III 49 temere I III, 492
templo II 143 templis I 312
temptarit II 85
tempus I 426, 722 II 346, 555, 591 III 345 temporis II 474 III 284, 358, 426, 564 tempus I 567 III 324, 343, 351, 395, 526 tempore I 67, 76, 276, 602 II 498, 683 III 322, 342, 344, 506, 551, 611, 671 tempora I 196 II 248, 414 temporibus I 790
temptatio III 5
temulentus I 400
tenaci III 430 tenacibus I 369
tendebat II 587 tendentes III 224
tenebris II 431
tenere I 33 III 457 teneri I 189 tenent II 161 III 45 teneat I 548 teneor III 67 tenetur I 761 tenenda est III 768 tene II 611
tenore III 150
tenuatis II 431
tercurtam I 705
terminat III 440
terminus II 301 III 145, 346, 621
ternarius III 728
terre II 168 III 166, 271, 605 terram III 263, 424, 584 terra III 298
terrere I 299 terret II 408 terruerat I 337 terrente I 376
terrestria III 266
testata II 397
testiculi II 34, 39 III 236 testiculorum II 37 testiculis III 243 testiculos III 248

testis II 37, 648 testes II 411, 624 *(bis)*,
tetragoni I 697 tetragonis I 694
texeret III 742
thalamos I 94 II 10, 426, 429
theatrales I 150
thema II 363 themate II 69
thorace II 558
thori I 70, 125 thoro II 197
thura I 587
timet II 115 timeat I 182 timeant III 418 timens II 438
timidus II 111, 114, 116 timidarum I 319
timore II 401
tirannus I 203
titulum I 8
tolerare II 17
tollere II 229 tolli III 545 tollo II 473 tollit II 303, 688 tollat II 702 III 568
tonitru I 376 tonitrua III 285
tornatilis II 310
torporem I 345
torquem II 247
torquetur I 571
torrens I 333
totennis II 670
trachea III 240 tracheam III 247
tractat I 198 tractabat I 724
tractatibus I 242
tractim I 658
tractum I 93 tractu I 92
tradi I 738 tradens II 652
traducis II 557
transcendente III 36
transducit II 552
transegerit I 132
transferat I 534
transfigere I 379
transgredientis III 123
transilit III 117
transivisse II 614 transit III 183 transierant I 550
transvehit II 273
traxisse II 558 trahit I 149 trahunt III 467 traxit III 291 traxerit III 764, 810 trahat III 180, 764, 809 trahitur I 149 III 222, 304 trahebar II 388 trahentes I 88 trahendis III 807 tractis II 275
treuge I 602
trigoni I 696 trigonis I 694
triplicitas III 620 triplicitatis III 596 triplicitatem III 599, 638
tripodum II 587
tristis II 523 tristi II 278
tristitiam II 687
tristor II 684 tristetur II 699
triumpharit III 780
triumphum III 701 triumphi I 559
truncato II 69
truncos I 82
trutinante II 680
tumet II 305 tument II 292
tumore II 318
tunicam II 391
tunicatim III 161
turba I 270 II 501, 508
turbare I 126 turbarat II 459 turbor II 450
turbine II 490
turmis I 286
turpis II 155 turpe II 151, 155 turpem I 807 turpi III 551 turpia I 580 turpiter I 574
tussiat II 536
tutorem I 768
tutus I 359 II 172 tuta I 541 II 373, 377 tutum I 325
typus III 616, 623

uber II 503, 504 ubera I 243 II 319
ultio I 824 II 633
ultra I 139, 665 II 16, 332, 371 ulteriores I 745 ulterius III 520 ultima III 568
ultro I 712
umbram I 130
unanimes I 149
undas I 276 undis I 380
unguis II 311
unicus III 69, 91, 169 unica II 120, 203, 650 III 318, 371
unire III 684 uniret III 778
univoce III 339
urat I 386
urbane II 408

urbs I 730 urbi I 809 urbem I 764 II 357 urbe I 726, 790 III 438, 710
urgere I 320 urgebat II 388 urgentibus I 285
urinam II 546
usurpare III 549
usus I 429, 479 II 20 III 60, 739 usu I 14, 89 usus III 78
uteri I 194
uti I 79, 542 II 259 utitur III 259 utebar III 7 usa sit II 72 utens II 68 utentes III 657 usus I 401 usa I 359
utiliorem II 362
utilitatis I 740 utilitati I 309, 723 utilitatum I 58 utilitate III 439
uve I 80
uxor I 125 uxoris I 171
uxorius I 129
vacare I 756 vacabam III 6 vacabat I 5, 738 vacavit I 7 vacarent I 549
vacuum II 90, 504 vacui I 751 *(bis)*
vadit I 160 vadat I 160
vagatur I 145 vagantur III 272
vago II 25 vagos I 275
valere I 156 valet I 489 II 689 III 506 valeret III 746 valuissent II 342
valetudine I 163
vallabant II 349
vana III 451 vano I 560
vaporem III 282
variari I 454 variantur I 433
vario II 266 varios I 88 III 462
vasa III 242, 248
vastare I 307
vecte II 465
vehementia III 201
velox II 702 velocior III 206
vena II 305 vene III 241
venabula I 333
venalem I 717
venari III 35 venor III 685 venantur III 492 venabar I 275 venabimur III 520 venatum I 314
venator I 352
vendi I 408 vendit I 422, 423 vendebat I 401 vendendo I 404
vendicet I 36
venenatio I 595
veeno I 199
venerantur II 138 venerans I 29 venerandus III 634
venie III 772
venter II 505 III 271 ventre I 272
venti III 286
ventoso II 490
veprium I 336
verax II 656 III 649
verbo III 508 verbum III 722, 744 verbo III 389 verba I 416 II 333, 343 verba I 580 II 352 43, 394 verbis I 252 II 340, 341, 363, 414
verecundor III 751
veri (noun) III 727
verisimilem III 687
vermibus I 370
vernalis III 601 vernali I 276
versatur I 745 versabar I 274
versus I 23 versibus I 16
vertere III 718 verti I 473 vertam III 28 vertitur II 488 verso II 433
verus III 704 verum III 453 veram II 166 III 687 vera I 163 III 18 verior III 458
vesana III 744
vesania I 576
vesica II 546
vespertilionis III 755
vestigia I 54, 316 III 736
vestimenta II 521, 522 III 630
vestis II 312 veste II 195 vestes II 475, 478 vestibus I 49 II 330
vestitus I 115, 351
veterum II 138 III 626
vetor II 579
vetule II 112, 713, 714 vetulam II 499, 501, 508, 721, 722 vetula II 533 vetularum II 415 vetulas II 356
vetulus II 728 III 11
vetusta III 630
via I 161, 541 III 668, 768 vie I 161 viam III 694, 767 via III 150, 739 viarum I 157 III 418 vias I 748
vices I 559 vicem I 320 vice 793 III 238 vices I 212 III 606

vicina I 156 II 359 vicinos II 257
visissim I 260 II 352, 539 III 487
victima II 155
victor I 558 victores I 561
victoria I 556, 652 II 228
victus (noun) III 230 victum I 729
viduam I 182
viduus I 130
vigilans I 724 vigilando III 662
vigili II 355
vigore III 179
viguere I 736 vigeret I 95
vilis I 427 II 103 viles I 424
vincere II 239 vincit II 107 III 202 vincunt II 254 vincebat II 227 vici II 683 vicero II 684 vincuntur III 205 vincatur II 283 vincens II 280, 507 vincente I 687 II 224 vicendi I 380 victi I 561 victis I 258
vindicta II 526, 549
vinum II 535 vini I 412 II 390
violare II 10
violentum III 226 violenter I 346 II 12 III 547
vir I 135 II 42, 89 III 633 viro II 37 virum I 26, 139 viro I 27, 127
virga III 422
virgineus I 129 virginei II 203 virgineam II 511
viro I 123, 136, 623, 625, 626, 627, 630, 637, 646, 716, 780, 788 II 422, 493 551 III 627, 773, *(bis)* 806 virginis II 481, 500 III 619 virgine II 212, 482 III 615, 655, 769
virgula I 367
virilem II 113 viriles I 61
virtus I 106, 343 II 118, 492 III 117, 118, 124, 145, 207, 378, 401, 472 virtutis I 435, 481 II 37 virtutem II 117 III 118 virtute I 261 II 79, 125 III 179, 212, 213, 700 virtutes III 77 virtutum III 652 virtutes III 79, 253
vis III 318, 398, 800 vim I 123 II 6 III 314 vires I 62 II 8 III 123, 159, 317, 467
viscera I 198 visceribus I 374 II 676
visco I 296
visere 272 visens III 587
visibilis III 176
visus I 297 visum I 103 visibus II 298 III 177, 204
vita II 162 III 230, 353, 812 vite II 419 III 513, 521, 565, 582, 586, 589, 593, 647 vitam I 196 III 350, 656 vita I 262 II 43 III 426, 512 vite III 504
vitare I 214 II 477 vitat I 219 vitaret I 215
vites I 98
vitiis II 120
vituperium II702
vivere I 25, 28, 284 II 196, 373, 377 III 2, 442, 446, 449, 775 vivet III 649 vixit I 6 vixerat III 351 vivat II 529 III 352 vivant III 48 vivens II 29 vivente I 762 viventes I 307 victuro III 427 vivendi I 5 II 162
vivificans III 245
vivo II 298 vivum II 514 vivos I 195
vocat II 411 III 632 vocant II 165 vocatur I 230 III 24 vocatus I 764
vociferam III 247
vola II 311
volitant II 250
volucris III 417 volucrum I 286
voluntas I 343 II 101 III 681 voluntati III 109
voluptates III 583
vorante 82
votum I 161 voti I 161 II 457 votum I 553 vota I 791 votis II 455, 487 vota II 398 votis I 159 , 237
vovisse I 162 vovet I 162 voverit I 160 vovens II 455
vox II 112 vocem III 417 voce I 89 II 172
vulgare I 33
vulgi III 457 vulgo III 456
vulpis I 319
vultus II 112, 202 vultum II 267 vultu 195 vultus I 611
vulvam II 23
yperboleos II 308
ydiomalis III 81
ydria III 422
zelans III 736
zodiacus III 198

ANCIENT, MEDIAEVAL, AND RENAISSANCE AUTHORS

(References are to pages of Introduction; to book and line of text for the Notes).

Abelard I 303 III 105, 680, 733
Albertus Magnus p. 11 II 44 III 50, 160, 317, 354, 372, 451, 488, 502, 594, 601, 626, 728
Alpetragius III 201
Aristotle pp. 5, 7 III 119
Augustine p. 5 III 48, 634, 708, 777
Averroes p. 6 III 354
Avicenna pp. 5, 6, 7, 12 II 443, 537, 538
Bacon, Roger pp. 1, 4, 11, 12, 13, 14 I 672, 684, 713, 731 II 118 III 21, 119, 192, 198, 340, 470, 502, 522, 527, 535, 554, 566, 612, 614, 626, 642, 708, 727, 736, 755
Boethius p. 11 I 504, 684, 700
Bradwardine, Thomas p. 2
Burley, Walter pp. 2, 10
Bury, Richard pp. 2, 10
Catullus II 325
Cicero p. 11 I 221 II 119, 154 III 17, 344
D'Ailly, Pierre p. 9
Fournival, Richard pp. 3, 6, 7, 8, 9, 10 I 672 III 235
Galen p. 12 II 265
Geoffroi de Vinsauf II 243
Gerard d'Abbeville p. 6
Gheyloven, Arnold pp. 3, 6, 9, 10
Grosseteste, Robert p. 11 I 106 III 124, 132, 164, 192, 198, 201, 229, 289, 295, 336, 340, 634
Guillelmus Parisiensis III 246
Holkot, Robert pp. 2, 10
Horace I 214, 325, 379, II 349, 535 III 63
Isidore of Seville p. 11 I 600 II 533, 544, 545 III 229, 262
Jean de Hautville II 243
John of Salisbury I 719 II 594 III 340
Juvenal I 806
Lactantius III 382
Lefevre, Jean p. 3
Leonardus Pisanus I 838
Macrobius p. 11 III 72, 76, 305, 340, 354
Martial II 263
Martianus Capella II 59, 67, 81 III 55, 201
Matheolus p. 2
Mathew de Vendôme II 243 III 773
Maximianus p. 11 I 214 II 728
Michael Scot III 201
Neckham, Alexander I 57, 329, 406, 600 II 107, 445
Nigellus Wireker p. 37
Ovid Introd. *passim.* I 1, 10, 15, 19, 49, 51, 68, 72, 85, 126, 160, 172, 177, 203, 241, 250, 252, 253, 276, 315, 321, 327, 361, 493, 509, 519, 660, 662, 796 II 8, 201, 229, 253, 263, 274, 276, 281, 310, 314, 319, 344, 361, 385 473, 484, 502, 508, 555, 582, 585 III 42, 83, 305, 395, 434, 440, 441, 455
Petrarch p. 1
Piero di Dante p. 2
Pierre de Limoges p. 2
Plato p. 5 III 42, 354
Pliny (*N.H.*) I 366
Robert of Chester I 838
Silius Italicus I 366
Tertullian I 212
Thomas Aquinas III 354
Vincent de Beauvais p. 1
Virgil p. 7 III 3
Vulgate I 127, 287, 312 II 170 III 411

MODERN AUTHORS

Battaglia, S. I 14
Baxter, J. H. and Johnson, C. N. I 135, 325, II 14
Bignami, J. and Vernet, A. p. 27
Birkenmajer, A. pp. 6, 7, 24 III 132, 136, 150, 174, 175
Cocheris, H. pp. 3, 7
Crombie, A. C. p. 4
Davidson, H. A. I 623
Delisle, L. pp. 2, 6, 26 I 672
De Vaux, R. p. 5
Ducange, N. I 238, 290, 546, 759, 806 III 87, 161, 233, 278
Duhem. P. p. 4
Dykmans, M. p. 9
Easton, S. C. p. 4 III 727
Ehrle, F. p. 3
Faral, E. II 243, 310
Geanakoplos, D. J. p. 8
Gerson, J. p. 9
Ghisalberti, F. p. 41
Goldschmidt, E. P. p. 35
Guerry, A. M. pp. 4, 21 I 428
Haskins, C. H. p. 4 I 361, 838 II 440 III 201
Holmes, U. T. I 57, 95 115, 276, 299 II 392, 393, 426, 440, 445, 465
Knust, H. p. 2
Långfors, A p. 6
Laurent, M. H. p. 9
Lehmann, P. pp. 1, 7, 8, 9, 21 I 1
Lenz, F. W. pp. 1, 18 III 234
Link, T. p. 6
McLeod, W. pp. 6, 7
Monteverdi, A. pp. 7, 8, 41
Mozley J. H. pp. 1, 4, 37 I 329
Munari, F. p. 5
Murray, H. J. R. I 600, 615, 624
Nogara, B. p. 41
Paré, G. p. 5
Peeters, F. p. 19
Quain, E. A. p. 41
Rand, E. K. p. 5
Raymo, R. R. p. 37
Robathan, D. M. pp. 1, 29
Sabbadini, R. p. 3
Salembier, L. p. 9
Segre, C. p. 6
Smith, D. E. p. 4 I 672
Stahl, W. A. III 160, 201
Stigall, J. O. p. 10
Strecker, K. pp. 17, 18
Taylor, H. O. p. 5
Thiebaux, M. I 315
Thomson, S. H. p. 5
Thorndike, L. p. 4 III 172, 295, 470
Ullman, B. L. pp. 1, 6
Wolfson, H. A. p. 5
Zarifopol, P. p. 6